EL DESAFÍO DE CAMBIAR TU VIDA

Convierte tus paradigmas
en oportunidades para triunfar

Clara Arenas
Mirna Pineda

TALLER DEL ÉXITO

El desafío de cambiar tu vida
Copyright © 2015 - Taller del Éxito

Publicado por:
Taller del Éxito, Inc.
1669 N.W. 144 Terrace, Suite 210
Sunrise, Florida 33323
www.tallerdelexito.com

Editorial dedicada a la difusión de libros y audiolibros de desarrollo personal, crecimiento personal, liderazgo y motivación.

Diagramación: Diego Cruz

ISBN 10: 1-607381-41-9
ISBN 13: 978-1-60738-141-9

Printed in the United States of America
Impreso en Estados Unidos

16   17   18   19   20   R|UH   12   11   10   09   08

CONTENIDO

RECONOCIMIENTOS

Conectando puntos

Era muy pequeña cuando llegaron a mis manos unos cuadernos de dibujo donde a través de la unión de puntos que seguía una numeración ascendente se lograba descubrir un maravilloso diseño. Igual ha pasado en mi vida.

Estudié la carrera de Comunicación buscando mejores formas de relacionarme. Amo mi profesión porque me ha dado la oportunidad de poner en práctica la idea de que "los medios no son ni buenos ni malos, todo depende del uso que se les dé".

A la par con la práctica periodística empecé a dar clases con el propósito de aligerar el camino de las nuevas generaciones de comunicadores y profesionistas en general. Cuando finalicé la Maestría en Educación con especialidad en Comunicación, ni siquiera imaginaba el maravilloso potencial que se abriría años más tarde para aplicar todo lo aprendido. Combinar ambas carreras ha sido piedra angular de mi desarrollo personal y, por supuesto, profesional. Empezaba a conectar los puntos.

A Clara la conozco desde hace siglos, mucho antes de llegar a este mundo. Son tantas las coincidencias —que como bien anota Rafael Ayala: "Somos hermanas de vida"—. Empezamos a ser socias al encontrar empatía en la pasión por enseñar. Las formas han sido diferentes, el propósito es el mismo: sembrar semillas de superación para elevar el nivel de conciencia.

No existe una fórmula perfecta en las relaciones personales ni de negocios. Lo cierto es que para hacerlas funcionales hay que abrir la mente y el corazón para aprender del otro, con la convicción de "vaciar el vaso" para poderlo llenar con nuevas ideas que enriquezcan las que ya estaban dentro.

Clara le hace honor a su nombre, es "transparente, brillante, de sentimientos limpios y puros". Es mi mentora, maestra, amiga, socia, con la que río, lloro y aprendo. Tengo la certeza de que hay un pacto espiritual entre nosotras.

Pasaron varios años antes de descubrir que Clara nació el mismo día que Paulita, mi madre. Además, Alberto —esposo de Clara— tiene la misma fecha de cumpleaños de Alfonso, mi papá. Dice mi marido que me conseguí unos padres postizos, yo digo que son parte de esos pactos no conscientes que me dan la oportunidad de seguir aprendiendo. Gracias Clara, por coincidir en esta vida.

Humberto, —mi esposo y compañero— representa muchos de los puntos de conexión en mi vida. Con su paciencia y apoyo he podido crear un presente más armonioso. Aguantó con estoicismo mi mal genio cuando no había desenredado las marañas de mi pasado —y todavía no termino, sigo en el camino porque perdonar es un proceso y me sigo equivocando—. No te asustes Humberto, cada vez hago menos berrinche.

Como escribí en el libro anterior, *Ideas para seguir avante*, Humberto no es mi media naranja, es la naranja completa. No es mi príncipe azul, ni soy su princesa, pero es mi ideal de pareja. Gracias Humberto por ser, hacer y tener.

Paulina y Marianne son el resultado de esa comunión. Son el espejo donde me reflejo, el motor que me impulsa a seguir aprendiendo porque no recibí el manual para ser "una buena mamá" y creo que si lo hubiera recibido tampoco lo habría leído, no me gusta seguir instrucciones. Gracias a mis estrellas porque son regalos de Dios.

Hace alrededor de 17 años conocí a Rafael Ayala. En ese entonces era un jovencito —de mi edad— que dedicaba parte de su tiempo a hacer servicio comunitario en su iglesia, dando charlas a los adolescentes.

Además de conducir un noticiero de televisión cada noche —y en mi afán de compartir con el público lo que empezaba a aprender en el área de desarrollo humano—, me di a la tarea de producir y conducir otro programa, también en televisión, al que bauticé con el nombre de *Excelente*, a través de TELEMAX, un canal sonorense que fue mi casa y mi escuela durante 13 años. En el programa participaban especialistas y conocedores de temas de desarrollo personal. Invité a Rafael y durante la preproducción le pregunté cuáles eran los principales problemas que enfrentaban los jóvenes con los que él trabajaba. Me dijo que era la situación existente en sus hogares: violencia, adicciones, falta de comunicación. Todo eso que deja profundas heridas en sus almas. De ahí surgió el tema del programa: Sanando las heridas del alma y lo que tiempo después fue el título del primer libro de Rafael.

Por muchos años mantuvimos esporádicas comunicaciones electrónicas, hasta que volvimos a "conectar los puntos" y unimos voluntades en nuestra mutua pasión por enseñar cómo elevar la conciencia. Rafael Ayala es un maravilloso motivador de la conciencia, un ser humano que explora y comparte, sabedor de que sanar las heridas abre las puertas a un presente transformador.

La invitación a que él escribiera el prólogo de este libro vino como una idea audaz que compartí con Clara y que hizo clic en ese mismo instante. Rafael la recibió con humildad y gratitud. Respondió con un regalo magnífico. Gracias Rafa por compartir.

A mi apreciado Marent, hombre de creatividad ilimitada y sonrisa abierta, le debo una entrevista divertidísima que me hizo en el periódico *Primera Plana* en 1999. Lo traté más cuando colaboramos juntos en el periódico *El Sonorense*, del que era director mi queridísimo Don Fortino Leon Almada. A Don Fortino, mi cariño, respeto, gratitud y amor permanentes, a pesar de su apresurada despedida física. Sigue siendo mi papá adoptivo sencillamente porque decidí adoptarme como su hija.

Marent es un tipo divertido, sarcástico y fino. Lo admiro desde que leía su tira cómica *Perro Pero*. Tanto Marent como *Perro Pero* tienen una sonrisa perfecta, ¿coincidencia?

Navegamos por las aguas tenebrosas del periodismo, pero Marent es además diseñador —de sueños e ilusiones—. Cuando volvimos a conectarnos y le planteé la idea de que ilustrara el libro, se apresuró a adueñarse del proyecto y empezaron los ires y venires electrónicos, me sigo riendo cuando los leo. Mario Rentería —Marent—, tiene talentos extraordinarios. Le comenté que no sé si disfruto más sus caricaturas o sus escritos. Me contestó que me quedara con lo que me diera paz. Entonces decidí quedarme con los dos. Es un regalo para los sentidos. Gracias Marent por servir siempre sonriendo.

Cuando publiqué mi primer libro, *7 Soles*, en el 2007, una novela sobre el tráfico de personas y la inmigración indocumentada, basada en un guión cinematográfico, una persona me envió un mensaje hermoso diciéndome que la obra le había gustado mucho. Me sugería algunas correcciones gramaticales para que fuera mayormente apreciado en la segunda edición. Marina Ruiz se dio a la tarea de hacer las correcciones, sólo por el placer de hacerlo. Luego la contratamos para que hiciera la corrección del libro *Ideas para seguir avante* y finalmente la conocí en persona, después de cinco años de nuestro primer correo electrónico. Es una mujer adorable, encantadora, pulcra en el hablar y escribir, preocupada porque las ideas lleven los acentos adecuados. Marina fluye en la vida como una abuela consentidora que revisa textos "para sacar pa' sus chicles", según dice ella con una abierta carcajada. Gracias Marina por existir.

Piezas medulares, mi madre Paulita y mi papá Alfonso, fuente de origen y desarrollo. Agradezco todo lo que me dieron. Hoy comprendo que fue lo que tenían y sabían. Honro su herencia. Puntos focales, mis hermanos Rosy, Alfonso y Diana, los amo por igual y los trato diferente porque son diferentes, siempre cercanos a pesar de la distancia. Gracias por florecer y dar fruto en Alex, Toño, Paola, Poncho, Diana, Sara y Daniela. Mi gratitud para Perla y Pedro por permanecer. Amigas entrañables, Blanca, Jossie, Irene, Lupita, Sylvia, compañeros de escuela y de trabajo, amigos de la vida, tíos, primos, familia política, maestros, alumnos. ¡Cuánto por agradecer en este tiempo compartido!

Y los puntos se siguen conectando. Hay una lista muy larga de personas que han sido parte de Avante Seminars, que han creído y confiado. Sería muy aventurado escribir cada nombre por temor a dejar algunos por fuera. Todos son seres maravillosos, un grupo numeroso con el que hemos tejido relaciones de hermandad que hacen más grande nuestra familia. Que sean inmigrantes es un gran regalo porque nunca estamos físicamente solos. Además les encanta la fiesta y buscan cualquier pretexto para seguir celebrando la vida.

Gracias lectores, a todos y cada uno de ustedes, por darme la oportunidad de compartir los aprendizajes y las enseñanzas. Al enseñar, aprendo dos veces.

La conectividad entre todos —seres humanos extraordinarios—, circunstancias, ciudades, oportunidades, vivencias y experiencias, han dado como resultado el libro que ahora tienes frente a ti. Las ideas y marañas aquí expresadas no son dogmas de fe ni verdades absolutas. No tienes que estar de acuerdo o en desacuerdo con nada de lo que aquí se expresa. Toma o descarta lo que creas que puede ser útil para tu vida en el propósito de estar en paz contigo mismo.

Por mi parte seguiré compartiendo mis ideas y aprendizaje entre quienes desean cultivar el cambio. Soy el resultado de las semillas que otros han sembrado en mí, sumado a mis propias deducciones e interpretaciones.

Continuaré dibujando nuevas ideas en mi mente, desenredando las marañas de mi alma, perdonando y siendo feliz a pesar de...

Gracias por la oportunidad de seguir conectando los puntos. Bendiciones en abundancia para tu vida.

Dios por delante.

Mirna Pineda-Acuña

Gratitud a mis maestros

Cuando Mirna me pidió que escribiera los agradecimientos me remonté a mi país natal: Colombia, a mis raíces y mi historia, —una historia llena de maestros que llegaron a mi vida de maneras, tamaños y ocasiones diferentes, que me ofrecieron oportunidades de aprendizaje en forma de experiencias, algunas agradables, otras no tanto. Y a veces, quizá fui yo quien llegó a sus vidas, consciente o inconscientemente, porque cuando el alumno está listo, el profesor aparece. Todas esas enseñanzas son las que me permiten hoy escribir este libro y compartir parte de mi camino con los lectores.

Mi más sincero y profundo agradecimiento a todos mis maestros. Me encantaría mencionarlos a todos, sin embargo, debido a cuestiones de espacio, los mencionaré en grupos.

Mis primeros maestros indudablemente son mis padres, con quienes aprendí el valor del trabajo, la honestidad, la perseverancia y la fe —y a encontrar lo bueno en todo. Gracias a sus imperfecciones aprendí la tolerancia, el entendimiento, la comprensión y la compasión. No fueron padres perfectos, pero fueron los perfectos padres para mí, para obtener el aprendizaje necesario que me iría preparando para cumplir mi misión de vida. Hoy puedo decir que los amo y los acepto tal y como son.

Crecer con cuatro hermanas y tres hermanos no fue tarea fácil, especialmente para ellos. Aún cuando en muchas ocasiones fui la niña buena por conveniencia, sacaba las uñas de vez en cuando en mi búsqueda de aceptación y reconocimiento. Peleábamos en ocasiones y en otras nos protegíamos mutuamente. Aprendí con ellos el valor de la amistad, el trabajo en equipo, el ayudarnos y cuidarnos mutuamente a pesar de la distancia. Fuimos cómplices en muchas ocasiones y hoy el amor que nos une me ayuda a seguir aprendiendo y enseñando pues sé que confían en mí y me ven como un modelo para sus vidas.

Mi familia se mantiene actualizada y por eso sigue creciendo en número y en conocimiento. El compromiso con ellos me ayuda también a seguir adelante y fue una gran motivación para escribir este libro. Incluso cuando estamos físicamente lejos, siempre los llevo en mi corazón.

Algunos maestros llegan a nuestra vida por un ratico y otros se quedan por largo tiempo. Mi compañero de vida desde mis 16 años, maravilloso instrumento para mi crecimiento personal, compartió conmigo mi intolerancia, mi rabia, mi dolor, mi miedo, mi inseguridad. Afortunadamente tuvo suficiente paciencia para ver y compartir también mi amor, tolerancia, seguridad, confianza, compasión y sobre todo la paz que fui adquiriendo a medida que iba sanando mis heridas. Con mi esposo, Alberto, he soñado, viajado y aprendido el valor de la perseverancia, la disciplina, el método. Cuando él compartía conmigo sus sueños de viajar a Estados Unidos a aprender, a conocer y a buscar una mejor vida, no me imaginé que al decidir seguirlo y apoyarlo en ese intento encontraría el camino de mi sanación y la dirección que debía tomar mi existencia.

La principal fuente de inspiración para todo mi trabajo han sido mis preciosos hijos: Cynthia Gigliola, Noelia Celeste y Renzo Omar. Llegaron en momentos diferentes de mi desarrollo espiritual trayendo cada uno consigo un mensaje para mí. Este libro es un instrumento más para cumplir el sueño de dejarles un mundo de paz y crear un legado para ellos y las generaciones venideras. Gracias, mis amores, por haberme escogido como su mamá. Gracias por haberme enseñado lo que es el amor incondicional y el perdón. Gracias por creer y confiar en mí.

Muchos otros maestros han llegado a mi vida a través de libros o material audiovisual, en seminarios, talleres, conferencias; en conversaciones casuales a veces y como mis mentores personales. Ellos me enseñaron muchas de las ideas que hoy comparto en estas páginas, me animaron a ponerlas en práctica y así me mostraron el camino para salir de la oscuridad a la luz, de la depresión a la felicidad, del odio al amor. He aprendido a ser feliz a pesar de… y siento que la mejor manera de agradecerles es seguir pasando el mensaje.

Mi más sincero agradecimiento va también para Marina, por su paciencia para revisar y corregir estas páginas; a Marent por compartir su buen sentido del humor y su habilidad caricaturesca, lo que facilita la transmisión del mensaje; y a Rafael Ayala por tomarse el tiempo, a pesar de todas sus ocupaciones, para escribir el prólogo. A los tres los conocí a través de mi querida amiga Mirna y sé el respeto y cariño mutuo que existe entre ellos y que él compartió conmigo.

Mi gratitud para todas las personas que han llegado a Avante, ya sea por corto tiempo o que se han quedado para compartir con nosotras el camino de su crecimiento personal y nos ayudan a llevar el mensaje. Ustedes son y hacen la diferencia, empezando en su corazón y extendiéndolo a sus familias, vecinos, ciudades y al mundo entero. Personas maravillosas que llegaron a Avante Seminars en busca de algo mejor, de paz, de libertad. Aquellos que creyeron en Dios, en ellos y en nosotras, y que compartieron un pedacito de su vida dejando enseñanzas grandes en las nuestras. Seres divinos teniendo experiencias humanas que en su camino de regreso a su creador, coincidieron en las vidas de Mirna y mía permitiéndonos compartir nuestro conocimiento y experiencias y facilitándonos el ser maestras —y al mismo tiempo alumnas.

Este libro no sería realidad sin el amor, dedicación, perseverancia, fe y gentil acoso de mi socia y amiga Mirna Pineda. Estas palabras de agradecimiento van acompañadas también de mi amor y mis respetos a una persona íntegra, sencilla, que creyó y cuyo sueño de llevar el mensaje de cambio y paz armonizó con el mío. Eso nos permitió crear Avante Seminars. Lo que inició como una sociedad se transformó rápidamente en una *amistad*. Mirna se ha convertido en mi compañera espiritual, mi amiga. Gracias por creer y crear, por amar y perdonar, por vivir en excelencia, por soñar y compartir tus sueños, por enseñar y aprender, por ser maestra y alumna, por tu fe y tu sencillez. Simplemente gracias por *ser*.

Gracias a Dios por usarme como instrumento para llevar el mensaje de paz y perdón.

Clara Arenas

PRÓLOGO

Una de las principales necesidades, evidente en los seres humanos, es la educación. Pero no me refiero exclusivamente a la formación académica, sino a aprender a vivir, a la educación para lo cotidiano. Nos urge, como sociedad y como individuos, conocernos y reconocernos para modificar las conductas que nos limitan y producen sufrimiento en quienes nos rodean y en nosotros mismos.

Las presiones económicas y sociales nos han absorbido de tal manera que nos hemos olvidado de vivir y en lugar de ello nos limitamos a sobrevivir. Trabajamos sin disfrutar, comemos sin saborear, hablamos sin comunicar y transitamos por la vida aceptando y generando relaciones destructivas y dolorosas. Y lo peor de ello es que nos hemos acostumbrado y creemos que estamos dispuestos a seguir así. La buena noticia que nos trae esta obra es que nada nos obliga a vivir como no queremos y tenemos el derecho y la capacidad para cambiar nuestro destino.

La vida, como bien dicen Mirna Pineda y Clara Arenas, es sencilla y también, agrego yo, llena de oportunidades. Hoy viví la maravillosa experiencia de leer y disfrutar el excelente trabajo de estas excavadoras de la conciencia y conducta humanas. Pero no sólo eso, ellas también me han hecho el honor de plasmar mis opiniones sobre su libro. Más que hacer una recomendación de esta lectura, deseo agradecer a las autoras el gran aporte que, una vez más, hacen a favor de todos nosotros.

El transformador contenido de sus seminarios "El desafío de cambiar tu vida" ahora está al alcance de cualquiera a través de este libro que, al igual que sus exposiciones, nos comparten con lenguaje sencillo y entendible. Ya no será indispensable trasladarse a Phoenix, en el Estado de Arizona, para recibir sus conceptos, ideas y propuestas de cambio de pensamiento y con ello, de vida.

Bendito el día que estas dos mujeres se encontraron. Aunque sus cunas estuvieron separadas por miles de kilómetros, ellas fueron creadas con un DNA emocional, profesional y espiritual totalmente compatible, de hermanas, no de sangre, pero sí de la vida. Ese tipo de hermandad que no requiere lazos de apellido, sino de propósitos. Pocas veces encontramos en el mundo intelectual a colegas que compaginen tan bien su trabajo hasta el grado de convertirse en compañeras de labores y en amigas de verdad. Tal es el caso de Clara y Mirna. Durante las ocasiones en que he colaborado con ellas he confirmado que su relación va más allá de un simple acuerdo de trabajo para convertirse en una misión de vida en la que ambas se complementan, aportan, ayudan y, además, se divierten.

Su amistad, colaboración y complicidad creativa constantemente producen los buenos frutos que ahora se ven reflejados en este texto. En él logramos identificar los corazones transformadores de estas dos catalizadoras del potencial humano. Su alianza es un claro ejemplo de lo que nos sugieren en uno de sus capítulos respecto a unirnos a personas con habilidades que nos complementen y ayuden para triunfar y ser felices.

Me da mucho gusto descubrir que las dos han plasmado en esta obra gran parte de la experiencia adquirida a través de sus tantos años de labor e intervenciones a favor del desarrollo de las personas, y muy en especial, de los hispanos que radican en Estados Unidos. Era necesario y urgente extender y poner al alcance de más gente los contenidos de sus seminarios y programas de cambio hacia una mejor calidad de vida.

Su propuesta de transformación no está basada solamente en la teoría porque vemos su aplicación práctica en cientos de casos. Por lo mismo es posible confiar en que nos están hablando desde un aula y una pizarra, pero también lo hacen desde la privacidad e intimidad de una cocina, una recámara, la oficina, el restaurante, la sala o el patio de la casa de quienes han obtenido los beneficios de acercarse a ellas para transformar su destino.

El desafío de cambiar tu vida es un alto en el camino para reflexionar sobre la vida, la felicidad, nuestras relaciones, el pasado, el presente, el futuro y principalmente, sobre nosotros mismos. Pero además es un taller de reparación y mantenimiento al cual recurrir para alinear y arreglar nuestro ser y entonces retomar el camino con otra perspectiva, nueva visión y herramientas para corregir cualquier desperfecto que surja en el resto de la travesía.

No puedo estar más de acuerdo con la frase inicial que ellas usan al empezar su obra: "La vida es sencilla, los seres humanos la enmarañamos". Somos especialistas en complicarnos la existencia. Parecería que muchos hemos creído que el sufrimiento, la miseria, las insatisfacciones y las limitaciones son parte inevitable del destino de cada quien. Hemos olvidado que la vida no es un sendero doloroso a recorrer, es más bien un recorrido de aprendizaje, gozo y crecimiento, a pesar de los retos que surgen.

Nuestras marañas no son mayores que la capacidad con la que contamos para desenredarlas; sin embargo necesitamos ayuda para lograrlo. Requerimos que personas como Mirna y Clara nos lo recuerden y nos proporcionen las herramientas para demostrarlo. Es imposible salir de esta enredada existencia haciendo lo mismo de siempre; pero para cambiar debemos modificar primero la manera en que pensamos, lo que creemos, así como nuestros famosos y muchas veces equivocados paradigmas. De poco nos sirve modificar las conductas que adoptamos si continuamos creyendo que somos incapaces de tener una mejor forma de vida, que así nos tocó vivir, que la felicidad que buscamos depende de los demás o que es designio de Dios mantenernos dentro de una forma de vida sin esperanzas.

Las páginas de este libro son como espejos y ventanas del alma. Los primeros nos permiten identificar esas autolimitaciones invisibles que llevamos a cuestas con todas sus consecuencias. En cada maraña que las autoras nos explican encontramos los nudos mentales, emocionales y relacionales en los que nos hemos metido o que nos han heredado. Sus planteamientos nos muestran realidades incómodas e inconvenientes a las que nos acostumbramos olvidando que tenemos la posibilidad de salir de ellas para encontrar una mejor forma de afrontar cada día.

En las historias que las autoras nos comparten sobre las personas que han ayudado a transformarse y crecer encontramos similitud con nuestras propias vidas, experiencias y marañas. La "victimitis aguda" queda expuesta y visible ante las explicaciones que nos dan y los ejemplos y testimonios que nos describen.

Lo bueno es que junto a los espejos nos abren ventanas para ver que hay esperanza; que no estamos destinados a vivir para siempre con esos padecimientos de actitud. A través de estos cristales vemos los modelos mentales que Clara y Mirna nos proponen para desatar esos nudos existenciales contra los que luchamos y modificar nuestro destino. Así, con cada maraña que exponen, las autoras también ofrecen un pensamiento de transformación que nos brinda la solución para romper esas ideas que tanto limitan y restringen la felicidad de vivir.

En sus manos tiene, estimado lector, un compendio de información que va a cambiar su vida. Estas hojas ofrecen alternativas prácticas, realistas y efectivas para poner fin a actitudes y pensamientos que han aprisionado su felicidad. El pasado no tiene por qué seguir determinando el presente ni el futuro. Sí es posible transformar nuestra vida. Contamos con un excelente texto para descubrir y redescubrir los nuevos horizontes que nos brinda la libertad de la responsabilidad individual.

Le invito a aprovechar esta oportunidad que la vida le ofrece a través de Clara y Mirna para hacer un replanteamiento positivo sobre la forma de vivirla. Su optimismo realista le motivará a ver las cosas desde una perspectiva de crecimiento, aprendizaje y felicidad a pesar de las circunstancias. Léalo con la certeza de que hay esperanza para alcanzar un destino diferente, mejor y más satisfactorio. Tengamos el atrevimiento de observarnos sin temor frente a estos espejos de la conducta y miremos a través de sus ventanas las alternativas de cambio que nos llevarán a una existencia extraordinaria. La transformación positiva de la vida, y de las relaciones, están al alcance de nuestra mente y a unas hojas de distancia.

Rafael Ayala
Motivador de la conciencia

La vida es sencilla, los seres humanos la enmarañamos. Hacemos nudos donde había líneas simples, pasamos el tiempo sufriendo por lo que no podemos arreglar, padecemos de insomnio por querer resolver los problemas económicos. Si dejando de dormir se pagaran las deudas pendientes, sin duda habría zombis por las calles.

Elaboramos complicadas marañas tirando de un lado y del otro de las ideas, peleando con lo que nos han dicho que está bien o mal sin cuestionar siquiera si esas ideas nos funcionan. Nos atamos a los viejos hábitos porque es lo que conocemos, sin embargo eso no quiere decir que sean los únicos que existen. Por eso es importante cambiar. Los cambios ocurren aunque te opongas a que así sea.

Cada segundo ocurre un cambio, tanto en el interior como en el exterior. Tus células cambian a cada instante, algunas se regeneran, se multiplican y otras mueren. Los pesimistas afirman que todos los días son iguales, pero lo cierto es que no hay un solo día que sea exacto al día anterior.

La mayoría de las veces los cambios son tan graduales que ni siquiera alcanzamos a notarlos. De repente nos subimos a la báscula y ¡zas! Descubrimos que hay cinco libras y/o kilos que no estaban hace un par de meses. Sacamos un pantalón del clóset y pensamos que se encogió porque los botones no alcanzan a cerrar. Nos miramos al espejo y observamos dónde termina la arruga que empezó a formar camino hace un par de años. Vamos de visita a la ciudad donde crecimos y encontramos nuevos bulevares y muchos rostros también nuevos. ¡Ni siquiera reconocemos a los vecinos!

Apenas empezaste a leer y ya hay cambios a nivel neuronal. En tu mente hay procesos que se están realizando para que puedas continuar con la lectura.

Y si a cada momento cambiamos, ¿por qué tanta resistencia a cambiar tu vida?

Durante los años que hemos trabajado en desarrollo personal, nos llama la atención que algunas personas afirman que "no están listas" para cambiar, cuando todos los días, a cada segundo, están cambiando.

La verdadera razón por la cual ellas evaden trabajar en sí mismas es el miedo.

Miedo a ver lo que está dentro. Por eso prefieren seguir viviendo en la mediocridad, en relaciones de pareja mediocres, con hijos que imitan la mediocridad de sus padres porque es lo único que conocen. Cuando se les invita a participar en seminarios vivenciales, donde les es posible trabajar en el origen de sus limitaciones y hacer cambios sustanciales para tomar decisiones con el objetivo de tener paz interior, algunos argumentan que "no es su tiempo".

Si esperamos a que llegue el momento correcto para actuar, vamos a perder un tiempo valioso que es: *ahora*.

¿Cuándo estamos cien por ciento preparados? La realidad es que nunca estamos totalmente listos para alguna tarea. Si esperásemos el tiempo ideal para ser padres, la tasa de natalidad en el mundo bajaría dramáticamente. Si esperásemos a estar totalmente preparados antes de manejar un automóvil, habría menos autos en las autopistas y por lo tanto menos accidentes. La experiencia se adquiere practicando, y con la práctica vienen también las equivocaciones, las "metidas de pata", que no son otra cosa sino maravillosas oportunidades que ponen a prueba nuestro talento y nos hacen aprender de los errores con el objetivo de vivir en excelencia.

Ser excelente no significa ser perfecto sino estar dispuesto a equivocarse. Aceptar la equivocación y hacer cosas diferentes, evitando cometer la misma falta. El propósito es elevar el nivel de conciencia al lograr ver lo que sucede dentro de nosotros, en lugar de culpar a los demás de cómo nos sentimos.

Por supuesto que resulta más fácil y cómodo señalar a los demás. Sin embargo, los únicos responsables de nuestra felicidad o infelicidad somos nosotros. Nadie más.

Aceptar el error, decir abierta y sencillamente "me equivoqué" y reconocer que se tiene un problema, es uno de los primeros pasos para empezar a ser conscientes de nuestras acciones y resultados. Porque para elevar la conciencia es importante saber que existe un derecho sagrado, que es el derecho a equivocarnos, y otro mayor que es el derecho a perdonar. Y perdonarnos a nosotros mismos es el primer paso para alcanzar la felicidad.

En este libro compartiremos contigo los temas y las experiencias que hemos acumulado durante la impartición del seminario de cuatro días, *El desafío de cambiar tu vida*, un intenso programa vivencial que brinda las herramientas para iniciar los cambios internos. Este programa es el resultado de la conjunción de información obtenida por nosotras durante veinte años de experiencia en la rama de la educación en temas de liderazgo, trabajo en equipo, desarrollo de imagen, comunicación oral y corporal, así como terapia física.

El plan de trabajo suma el conocimiento de las personas que han influido en nosotras ya que somos el fruto de cada una de las múltiples semillas que se sembraron en nuestra mente. También incluimos algunos de los temas que desarrollamos en los programas de *Liderazgo*, niveles 1, 2 y 3. Los 2 primeros tienen una duración de 3 meses y el tercero de 2 meses. Allí se concretan acciones que empezaron a desenvolverse durante el primer seminario a través de Avante Seminars, Entrenamiento para la vida.

Nuestra empresa tiene como propósito desarrollar el potencial de las personas para ayudarlas a alcanzar el éxito. El objetivo es compartir las herramientas que hacen posible expandir el mensaje de perdón. Esa es la base de nuestro trabajo y la clave del cambio para lograr paz interior.

La meta es brindarte los instrumentos que te permitan disfrutar del potencial que está dentro de ti. Si quieres empezar a desenmarañar los nudos que fabricaste en tu mente, sólo tienes que decidirte y aceptar *El desafío de cambiar tu vida*.

Maraña:
Seré feliz cuando...

Cambio:
Soy feliz a pesar de...

Si tuvieras una varita mágica y pudieras pedir tres deseos, ¿cuáles serían? Tienes 10 segundos para decirlos en voz alta: 10, 9, 8, 7, 6, 5, 4, 3, 2, 1 ¡Tiempo!

Aunque la frase suena a cuento, es interesante notar que al hacerles esta pregunta a los asistentes a los talleres que impartimos, ellos difícilmente pueden definir más de un deseo. Algunos abiertamente afirman que no saben qué quieren. Otros alcanzan a murmurar algo así como: "Quiero ser feliz" —y lo dicen bajito.

Una gran cantidad de individuos ha pasado la vida buscando ser felices y en el camino encontraron sólo pesares. Buscan por fuera de sí mismos y esperan a ser grandes para alcanzar la felicidad; cuando terminen su carrera, cuando se casen —algunos dicen que cuando se divorcien—, cuando su pareja cambie y los haga felices; esperan sacarse la lotería para no tener deudas. Sólo así serán felices. O cuando sus hijos crezcan y tengan tiempo para viajar. Entonces y sólo entonces tendrán lo que siempre han ansiado. Condicionan su felicidad a *cuando*.

¿Qué tal una idea diferente para empezar a hacer los cambios en la mente?

En lugar de esperar ser feliz cuando... hay que ser feliz a pesar de... porque ser feliz es una decisión interna que no depende de las circunstancias. Llegar a declarar: "A pesar de que no tengo el auto de mis sueños, decido ser feliz", "A pesar de que me duele la cabeza, decido ser feliz", "A pesar de que una persona muy querida para mí acaba de fallecer, decido ser feliz".

Cuando decimos esto, los ojos de los participantes se abren y casi podemos leer en su mirada las frases: "¡Como si fuera tan fácil hacer eso! ¡Es que ellas no conocen mi historia! ¡Mi vida *sí* ha sido difícil!

Para ellas es fácil decirlo porque no tienen problemas, ¡pero si conocieran mi historia…!".

Es verdad que las historias de vida son variadas; los hechos cambian pero las emociones son las mismas: culpa, vergüenza, tristeza, depresión, ansiedad, pesimismo, envidia, celos, aburrimiento, coraje, resentimiento, —un cúmulo de emociones negativas que suelen ser limitantes y por lo general distorsionan la percepción e interpretación de los hechos, además de desanimar a las personas para alcanzar las metas induciéndolas a la inactividad, la pasividad y, en muchos casos, a la agresividad.

Lo importante es que cuando se logra definir al menos un deseo —que puede ser conseguido con la varita mágica de la mente— y se toma la decisión de trabajar en nuestro propio ser, la gran mayoría de las personas menciona una emoción, esta vez positiva —como alegría, satisfacción, esperanza, plenitud, buen humor, optimismo, tranquilidad y paz—, como parte de lo que quieren alcanzar en la vida.

—"Quiero ser feliz" —dicen con apenas un hilo de voz— y se vuelven para mirar lo que dicen los demás, porque al decirlo sienten que han fracasado y que son los únicos que se sienten así. Al comprobar que no están solos sino que esas mismas emociones están presentes en aquellos que decidieron asistir al seminario, hay un respiro de alivio. Entonces algunos dicen entre risas: "Pues *todos* queremos lo mismo, pero no sabemos cómo lograrlo".

Y ya empezaron a encontrar el camino. Igual lo estás haciendo tú al leer este libro. Estás empezando a avanzar en lugar de quedarte estancado. La siguiente expresión se repite con frecuencia en los seminarios, sólo cambia de nombre y de sexo. O sea que la dicen tanto los hombres como las mujeres:

—"Es que la vida es taaaan difícil"— y alargan el tan para ponerle más drama.

—¿Quién les dijo que era difícil?, les preguntamos.

Entonces empiezan a contar las historias que a su vez les contaron, las frases que escucharon una y otra vez, parte del legado de sus padres, hermanos, familiares, amigos, maestros, etc. Y lo más interesante es que lo toman como verdadero porque es del dominio común —como un hecho que no pueden cambiar.

En lugar de etiquetar la vida, de acuerdo a como te "ha ido en la feria", o sea de acuerdo a tus propias experiencias, más las que te han regalado por generaciones, incluye esta nueva idea en tu mente: "*La vida es…*". El resto de la frase, cada quien lo completa. La vida puede ser tan hermosa como la quieras ver o tan trágica como tú decidas, depende de la percepción e interpretación que cada persona le da. La maravillosa Celia Cruz cantaba a todo pulmón que "todo aquel que piense que la vida siempre es cruel, tiene que saber que no es así, que tan sólo hay momentos malos, y todo pasa… la vida es un carnaval para reír y para gozar".

La vida también es un juego que no tiene instrucciones, y si las tuviese, algunos no las leeríamos, ni menos, las pondríamos en práctica. Eso trae a colación otra frase que un teórico de la comunicación hizo famosa: "Los medios no son buenos ni malos, todo depende del uso que se les dé". Parafraseando a Marshall McLuhan podríamos afirmar que *la vida no es buena ni mala, todo depende del uso que se le dé.*

Y en cuanto al uso, lo más sencillo es ver tus resultados; si te complacen, te hacen sentir completo, feliz y en paz, ¡adelante! Sigue trabajando en ti mismo porque el camino es largo y dura por el resto de tu vida. A menos que creas que ya lo sabes todo. Entonces es tiempo de comprar tu ataúd porque significa que ya estás listo para partir. O eres de los que se conforman con sus resultados y en ellos te sientes "cómodo"; haces lo que crees que puedes, no lo que realmente *puedes* hacer, porque tienes miedo a crecer.

Si por el contrario, los resultados que tienes en tu vida te provocan un estado de alteración, irritabilidad, nerviosismo, agitación, miedo constante, vergüenza, hostilidad y aflicción, es tiempo de hacer cambios. Y si te sirve como consuelo, la gran mayoría de las personas que están a tu alrededor comparte las mismas emociones negativas. Sólo el

1% de la población mundial vive en un estado de consciencia integral. El resto está en una búsqueda constante, ya sea de ilusiones, poder, orden, autonomía, libertad, abundancia y paz. Hay una necesidad y por lo tanto existen recursos, herramientas que se pueden usar para empezar a trabajar.

Se buscan cambios, hacer cosas diferentes porque lo que tenemos hoy, los resultados que hemos obtenido hasta ahora, no nos satisfacen; y sí, hay formas de cambiar. La prueba la tenemos en la gente que ha acudido a los seminarios de desarrollo personal. También en nosotras mismas porque, además de haber participado en múltiples seminarios, talleres, conferencias, mentorías y consejerías y recibido instrucción para poderlo enseñar, igualmente hemos hecho cambios sustanciales en nosotras mismas. La forma de ver el mundo es diferente y ahora sabemos que es posible tener paz interior *a pesar de* las historias del pasado.

Enfrentarse a sí mismo da miedo. Nos han entrenado desde muy temprana edad para apuntar fuera de nosotros. Nos es fácil creer que quienes necesitan cambiar son los demás.

A uno de los seminarios asistió un joven matrimonio que, con mucha frecuencia, pasaba por situaciones complicadas. Ana insistía en que su familia era la culpable de su depresión porque cada vez que ella quería hacer algo nuevo le decían cosas como: "Para qué pierdes tu tiempo si ni siquiera tienes estudios", "Siempre has sido bien torpe", "Tú sólo sabes cocinar, así que zapatero a tus zapatos", "Las mujeres que andan solas se vuelven de la calle". Ana se puso furiosa cuando le indicamos que ella era responsable de sus sentimientos, pues tenía la capacidad de aceptar o rechazar los comentarios de sus familiares.

Los demás participantes rápidamente se dieron cuenta de que era cierto. Todos estuvieron de acuerdo, menos ella. Sin embargo, más tarde, otros participantes que antes habían estado de acuerdo, insistían que en su caso era particular.

Jorge explicó que su caso era diferente porque su pareja no le permitía ser feliz; lo criticaba constantemente, incluso frente a sus hijos, diciéndole cosas como: "Eres un inútil, nunca haces nada bien, todo lo tengo que resolver yo porque tú no eres capaz de nada". Según Jorge, su pareja era responsable de cómo él se sentía. Ella era la victimaria y él la víctima.

Hay una enfermedad que está cobrando tintes epidémicos. Se llama *victimitis aguda.* Es contagiosa y hereditaria, se transmite de generación en generación y si no lo crees, presta atención a las siguientes frases: "¡Mira estas canas (verdes) que me has sacado con tantos problemas que me das!", "¡No tomas en cuenta todos los *sacrificios* que he hecho por ti!", "¡Me mato en el trabajo para darte todo! ¿Y así me pagas?".

¿Te suenan? ¿Son las que escuchaste o las que dices? Porque si las escuchaste y no has hecho cambios internos en tu vida, es muy probable que las estés repitiendo. Cuántas veces te has dicho: ¡Yo *nunca* voy a hacer lo mismo que mis padres hicieron conmigo!

Te invitamos a echar un vistazo a tus resultados, para que honestamente decidas que no estás haciendo lo mismo. Presta atención porque la forma puede ser diferente, pero el resultado es igual.

Marina llegó a uno de los talleres y se sentó con los brazos y las piernas cruzadas. Cuando participaba, lo hacía con determinación, con la voz fuerte y la mirada fija, podríamos decir que con algo de coraje. En un momento dado quiso compartir con nosotros el hecho de que siendo niña había vivido violencia física por parte de su padrastro; llegaba casi desmayada y sangrando al hogar de su abuela, quien curaba sus heridas. Los castigos físicos eran incesantes hasta que decidió irse de la casa a los trece años. Desde entonces se juró que ningún hombre abusaría de ella, que nadie le diría lo que tenía que hacer y que ella haría lo que le diera su "reverenda" gana. Tiempo más tarde conoció al hombre con el que se casaría; un tipo bonachón, amable, apoyador y perdidamente enamorado de ella. Cuando empezaron las discusiones, quien golpeaba verbal y físicamente a su pareja, era ella.

Es verdad que Marina había hecho cambios. Ya no era un hombre el que originaba la violencia, pero al no permitirla, ella tomaba el papel de victimario que tanto la había hecho sufrir. Y sus hijos aprendieron bien ese modelo de pareja y empezaron a tener relaciones abusivas, tanto de dar como de recibir, porque era lo único que conocían.

Cambió la forma, pero el resultado es el mismo. El abuso es una cadena, —tanto el físico, sexual, emocional y financiero—, que pasa como parte de la herencia que tenemos para nuestra descendencia a menos que verdaderamente se hagan cambios a nivel interno, en el subconsciente. Si los resultados que tienes hasta ahora no te satisfacen, es el momento de hacer algo diferente. La definición de locura es hacer lo mismo una y otra vez, y esperar resultados diferentes. Es hora de preguntarte si estás loco.

¿Cuánto tiempo llevas insatisfecho con tus resultados y aún así continúas haciendo lo mismo? ¿Cuánto tiempo más vas a dejar pasar antes de darte la oportunidad de ser feliz?

Una de las participantes que vivía una situación de violencia doméstica nos sorprendió cuando dijo: "¡Ya no puedo más, me quiero separar, estoy harta, he aguantado todos estos años y ya no quiero lo mismo!". Luego hizo una pequeña pausa y bajó la voz para decir: "Pero son 10 años de mi vida que he pasado con él, ¿como los voy a botar así nada más?". Entonces le cuestionamos: ¿O sea que quieres vivir otros 10 años igual?

En situaciones extremas es recomendable que las parejas se separen, no solamente para extrañarse mutuamente o considerar si se hacen falta, sino para que cada uno trabaje en su propia historia, sane el pasado y construya un presente diferente.

Está comprobado que si no se hacen cambios a nivel interno, aun cuando las parejas se separen o se divorcien, van a conseguirse a otro compañero igual, solamente le van a cambiar de nombre porque a donde vayan, aunque se cambien de casa, de pareja o de país, se llevan a sí mismos.

Si estás leyendo esto significa que buscas algo distinto. Te sugerimos que no sólo leas el libro, sino que apliques lo que aprendas. Estás obteniendo información, pero para que se convierta en conocimiento, debes aplicarla.

Maraña:
Ver para creer

Cambio:
Creer para ver

Somos lo que pensamos. Es por esto que cuando pensamos que las cosas son difíciles todo se alinea para que así sea y reforcemos esa idea que posiblemente ni siquiera sea nuestra sino que nos fue sembrada en la mente desde tiempo atrás. Sin embargo creemos que es cierto y creamos un resultado a partir de esa idea. Todo lo que pensamos puede volverse realidad. La realidad existe cuando tú la estás creando. Esa es tu realidad.

La mente es un instrumento maravilloso que no se ubica sólo en el cerebro. Cada una de nuestras células tiene memoria. En la mente se generan las ideas, las cuales generan emociones, que a su vez producen acciones y estas dan resultados. Cuando los resultados que tienes no te satisfacen, es necesario hacer cambios para que los resultados también sean diferentes. Si creas un cambio, estás en el camino de tu paz interior y cuando estás en paz contigo mismo, estás en paz con los demás.

Todo lo que pensamos puede hacerse realidad y es tan fácil como cambiar de pensamiento, el cual puede ser negativo o positivo. Por ejemplo, si pensamos que hace tiempo que no vemos a nuestra familia, nos acordamos de cosas tristes y hasta derramamos lágrimas. O bien, recordamos ese incidente en el que alguien nos dijo algo que consideramos agresivo y empieza la mente a darle vueltas a la misma idea: "¿Por qué me lo dijo?", "Algo se trae, si yo no le hice nada, debe andar en algo chueco", y así seguimos hasta que duele el estómago por el berrinche. Entonces cambian las acciones por esa idea que te puso de mal humor y rematamos con quienes ni siquiera "llevan vela en el entierro" y que por lo general son los hijos.

Otro caso típico es cuando los niños están en su mundo y la mamá está pensando en lo que le va a decir a su marido porque es muy tarde y él no ha llegado. En su mente hay ideas como: "¡Este desconsiderado que no llega, ¡quiero ver ahora qué inventa! Pero esta vez me va a oír y que ni piense que le voy a creer el cuento". En ese momento se acerca el niño y pregunta: "¿Mami, puedo comer pastel?" y la reacción de la madre es: "¡NO! ¡No estés dando lata! ¿Cuántas veces tengo que decirte que no? ¡Vete de aquí, estás castigado!". Y el niño se pregunta: "¿Qué dije? Si sólo quería pastel".

Las acciones nos dan resultados pero es posible que estos sean los esperados o no. Para cambiar la idea de que los resultados deben ser buenos o malos, positivos o negativos, hablemos de efectos funcionales o no funcionales al revisar con detalle el resultado de nuestras acciones en cuatro áreas básicas: emocional, física, financiera y espiritual.

Recuerda que todo lo que se lleva a la realidad física se gestó y se diseñó primero en la mente. El libro que ahora estás leyendo surgió primero en la mente de sus autoras. La silla o el sillón donde estás sentado se le ocurrieron a alguien. Alguien diseñó la casa que habitas y luego alguien más la construyó; tú la decoraste, pero antes pensaste dónde colocarías los muebles, los cuadros, cada detalle, aunque luego digas: "No me gusta como está acomodado. Es que no he tenido tiempo de ordenar". Para arreglar tu casa así, por la razón que sea, primero tuviste que imaginarla.

Alguien construyó en su mente los maravillosos rascacielos de Nueva York y las impresionantes obras arquitectónicas y de ingeniería alrededor del mundo. ¿Dónde empezó la construcción? En la mente, y luego se hizo realidad. Todos los inventos, todo lo que tenemos ahora y que nos facilita la vida, —como las computadoras o los teléfonos celulares—, no existía hace un par de décadas. Hoy no imaginamos cómo sería la vida sin una computadora, sin un celular. Antes, ambos eran enormes; los computadores ocupaban un piso completo en un edificio y los celulares parecían ladrillos. Pero hubo a quienes se les ocurrió pensar que estos podrían ser pequeños, portátiles, cómodos. Luego los imaginaron, llevaron sus ideas a la realidad física y ¡se volvieron famosos y millonarios!

Todo lo que pensamos, absolutamente todo, bueno y malo, es posible convertirlo a la realidad física. Si nos esforzamos nada más en lo malo, ya sabemos a dónde vamos a parar y qué resultados obtendremos. La única persona responsable de tus resultados eres tú mismo, aunque por lo general le das el control de estos —como si fuera el control remoto del televisor— a todos los que están alrededor.

Esperar a que cambie el mundo va a tomar un buen tiempo, sin embargo el hecho de que empieces a cambiar tú, sólo es cuestión de decisión. Algunas personas se niegan a cambiar porque según dicen: "Así soy yo y al que no le guste pues ni modo". Entonces pasan el tiempo maldiciendo, haciendo berrinche, insultando, golpeando con palabras y acciones, enfermándose y enfermando a quienes las rodean.

Es pesado vivir con gente así, —y peor aún es *ser* de esa manera. Ese fue el descubrimiento que hizo una de las participantes cuando el seminario llegó a su fin. Ella exclamó: "Pobre mi marido, qué feo debe ser vivir con alguien como yo que ni siquiera me había dado cuenta de todo lo que hacía y decía; yo creía que tenía la razón y que él siempre hacía las cosas mal sólo para molestarme. Ahora entiendo que las hace diferentes porque él es diferente a mí". Así como esperas que los otros cambien, los otros esperan que *tú* también cambies.

Todo lo que das, se te devuelve, es una ley universal. Y para que no malgastes tu tiempo aquí te brindamos la receta secreta: empieza por ti. Así de sencillo es. Cuando cambias, todo cambia porque empiezas a ver, sentir, disfrutar, percibir e interpretar de manera diferente. Si cambiamos de pensamientos, cambiamos de ideas. Inmediatamente hay cambios de emoción y cuando cambian tus emociones también cambian las acciones y por lo tanto los resultados.

Durante uno de los programas de radio que conducimos llamó una señora y dijo: "Si no me tomo las pastillas me deprimo". Ella se había creado esa necesidad a nivel mental; si no se tomaba el medicamento se deprimía. Y condicionó la emoción.

Una historia similar sucedió con otra de las participantes de uno de nuestro seminario. Ella tomaba entre cinco y siete pastillas cada día porque aparentemente padecía de depresión, ansiedad y principios de esquizofrenia. Mientras realizaba alguno de los ejercicios se dio cuenta que le daba vueltas a la misma historia. Ella creía que de niña había sido víctima de determinadas circunstancias. Como adulta seguía repitiendo el mismo patrón para que su familia la considerara como víctima. Esto le servía para chantajear a sus familiares y conseguir lo que quería. Si no lo lograba, se enfermaba y los culpaba por sentirse mal: "Ella se esforzaba por el bien de todos y nadie le hacía caso". El patrón se convirtió en un ciclo de enfermedad —medicamentos recetados y emociones revueltas—. Finalmente se volvió adicta —legalmente— hasta que se dio cuenta que la única responsable de sus resultados era ella. Cuando terminó su trabajo en el seminario dejó los medicamentos y hasta la fecha no ha necesitado ninguno.

¿Qué tal si empiezas a cambiar tus pensamientos? ¿Cómo podemos cambiarlos? Primero debemos mirar qué hay dentro de nosotros. En el caso anterior había que buscar el origen de la depresión, ¿en qué era lo que pensaba esta persona que hacía que ella se deprimiera? ¿Por qué los medicamentos aliviaban el síntoma pero no el origen de la enfermedad?

Ten presente que todo lo que pienses vas a lograr llevarlo a la realidad y completarlo. En este punto es bien importante que distingas qué quieres llevar a la realidad: ¿lo positivo o lo negativo? Porque creer es crear.

Rosalba creía que era tímida. Siempre se lo habían dicho en su casa a lo largo de su proceso de crecimiento. Luego sus maestros en la escuela. Más tarde se casó con un hombre que le reconfirmaba esa idea. Por muchos años ella se comportó como una persona tímida. Los resultados que tenía en su vida no la satisfacían y definitivamente no era feliz. Cuando decidió hacer un cambio, empezó por asistir a seminarios, a leer y a reunirse con personas diferentes. Le sorprendió darse cuenta que era extrovertida y poco a poco comenzó a actuar con desenvoltura. Hoy tiene amigas, sabe expresar lo que siente y su vida está cambiando. Ese cambio se produjo cuando ella empezó a creer en algo diferente.

¿Y tú? ¿Qué quieres crear en tu vida? ¿Qué decides creer?

Maraña:
Me caso con las viejas ideas

Cambio:
Estoy abierto a aprender

Existe la creencia de que antes todo fue mejor. Se dice que había más respeto, más civismo, menos robos, poca criminalidad. Lo cierto es que realmente no todo tiempo pasado fue mejor. La civilización sigue cambiando y los valores son los mismos. Las formas de aplicarlos son diferentes o sencillamente no se aplican. Sin embargo muchos se casan, literalmente, con esas viejas ideas porque les sirven para quedarse estancados. Por ejemplo: "A los hijos hay que golpearlos para que aprendan". Pero los golpes sólo sirven para crear miedo y resentimiento. Los padres y madres golpean, tiran del pelo, pellizcan, dan nalgadas y cachetadas porque seguramente ellos recibieron lo mismo en sus casas. Es la única forma que conocen.

Cabe aclarar que una cosa es la disciplina y otra el castigo. Los golpes son castigos físicos y también emocionales. Dejan huellas profundas que van hasta el alma. Quizá el niño o la niña no vuelvan a cometer la misma travesura o falta pero no necesariamente porque entiendan y procesen la experiencia sino porque tienen terror al castigo y viven temerosos de recibir más golpes. Eso los hace crecer con miedo y cuando se convierten en padres y madres, tienen una alta tendencia a golpear y así continúan con la cadena de abuso.

De ahí la necesidad de conocer nuevas ideas para decidir cuáles queremos porque nos funcionan y cuáles no porque limitan nuestra libertad para ser felices. Cuando escuchamos una idea nueva, tenemos tendencia a hacer 3 reacciones:

1. Ignorar. Los jóvenes son buenísimos para esto y usan frases como "me vale" o *"whatever"* (lo que sea) y se encogen de hombros.

2. Aceptar. Si la propuesta se alinea con las ideas que tenemos programadas o si nos sentimos identificados con la persona que la hace, entonces aceptamos. Por ejemplo en los comerciales

de televisión, donde un artista o deportista famoso habla de tal o cual producto o servicio, tenemos la tendencia a aceptar esa propuesta.

3. Rechazar. Automáticamente al sentirnos atacados, rechazamos de entrada; sucede usualmente en la etapa de la adolescencia. Cuando los jóvenes están en su propia búsqueda, no aceptan restricciones por parte de sus padres ni maestros.

La invitación es que analices las ideas que compartamos contigo a través de los siguientes planteamientos hechos en forma de preguntas:

—Si yo aplico esta idea, ¿me va a ayudar a alcanzar mis metas y voy a ser una mejor persona?

—¿Se alinea esto con las Leyes del Universo o las leyes de Dios —cualquiera que sea mi creencia—, sin entrar en el tema de la religión pero desde la espiritualidad y tomando en cuenta que somos seres espirituales teniendo una experiencia física?

—Si yo aplico esta idea, ¿voy a lastimar a alguien?

Y cuando hablamos de lastimar, no estamos diciendo que vayas a molestar intencionalmente a los demás. Cuando empiezas a cambiar, a crecer, a hacer algo diferente, o sea, cuando decides desenredar tu maraña de ideas, es muy posible que muchos a tu alrededor se incomoden.

Ernesto vino a uno de nuestros talleres y al salir decidió que tomaría el seminario de cuatro días. Una semana más tarde llamó a la oficina y dijo que no podía asistir porque su familia se había disgustado con él. Le estaban advirtiendo que no se metiera en "esas cosas" porque le iban a "lavar el coco". Además le dijeron que ellos no le veían nada malo a la vida que él tenía en ese momento. Le insistían que le diera gracias a Dios por todo lo que tenía y se conformara, pues ellos eran "humildes" y "esas cosas" —se referían al desarrollo personal— eran "para la gente con dinero y con papeles". Según ellos, los indocumentados no tienen ese "privilegio".

Cuando decides salir de la zona de comodidad, los que la han compartido contigo se van a asustar. Va a ser como si sintieran un terremoto. Por mucho tiempo estuvieron ahí y ya se acostumbraron. Si viven en situación de violencia doméstica, por ejemplo, ya saben que cuando su pareja llega de mal humor va a gritar, insultar y golpear. Saben también que dicha pareja después va a arrepentirse y pedir perdón y este hecho les da una "falsa" sensación de seguridad y la esperanza de que el mañana será diferente. "Más vale malo conocido que bueno por conocer" dice la gente. ¿O no?

El miedo al cambio es real. O mejor dicho: el miedo a que nos ayuden a hacer los cambios. Se nos ha condicionado a conformarnos, a soñar pequeño o no soñar, a ir temerosos por la vida para llegar seguros a la muerte. Cambiar es riesgoso, no sabemos qué nos espera al final del camino o en el camino mismo, sin embargo, tampoco sabemos con certeza qué nos espera si nos quedamos estancados.

Lo que sucede es que nos engañamos pretendiendo saber. Un sentido falso de seguridad mantiene a mucha gente atada a la mediocridad. Helen Keller —quien fue sordociega desde los 19 meses de edad—, decía que la seguridad es un mito y escribió en su biografía: "En estos oscuros y silenciosos años, Dios ha estado utilizando mi vida para un propósito que no conozco, pero un día lo entenderé y entonces estaré satisfecha". Mientras tanto se dedicó a dar conferencias, escribir y ayudar a otras personas que tenían limitaciones físicas.

Nada es seguro en el mundo en que vivimos, excepto la muerte. La seguridad real radica en el entendimiento de todo el potencial que Dios ha puesto dentro de nosotros. La fe en Dios, en nosotros mismos y en los demás, nos proporciona la seguridad verdadera.

"A lo mejor, con suerte, las cosas siguen iguales y no empeoran", comentaba una participante cuando hablábamos de la relación con su esposo. Llevaban 15 años casados. Él acostumbraba salir con otras mujeres y no daba dinero para la casa. Ella no sólo pagaba sus propias cuentas sino también las deudas de él. Le preguntamos por qué seguía con esa relación y su respuesta fue: "Tengo la esperanza de que cambie".

Al analizarlo a fondo descubrió que su miedo real era "tengo miedo a estar sola". Obviamente, como el Universo se mueve constantemente, es imposible que algo permanezca igual: mejora o empeora, o vamos para adelante o para atrás.

Cuando ella mencionaba de la posibilidad de separación, sus familiares cercanos decían que no tenía caso que se divorciara si "de todas formas, lo más probable sería que encontraría otro hombre igual". Además en su mente estaba sembrada la idea de que el matrimonio es para toda la vida: "Ya te casaste, ya te amolaste", le dijeron. Probablemente, después del divorcio andaría de hombre en hombre y terminaría como una "perdida". Ella pensaba de manera diferente pero sin embargo esas ideas que no eran suyas la mantenían atada a una relación incómoda.

El miedo al cambio es real en muchas personas. Saben que si alguien cambia a su alrededor, ellas van a tener que cambiar también.

Piensa por ejemplo cómo, en las parejas, usualmente cada uno duerme en un mismo lado de la cama. Día tras día, mes tras mes, año tras año, duermen en la misma posición, de la misma forma. Ahora imagina que uno de ellos decide hacer un cambio: desea dormir en el otro lado de la cama. ¿Qué sucede? ¿Qué siente el otro? ¿Cuáles son las marañas que se enredan? Pon en práctica esta idea.

El miedo real de fondo es: ¿seré capaz de manejar esta situación? No estamos seguros de nuestra habilidad para manejar la pérdida de un trabajo, la muerte de un ser querido, perder la casa, el carro, o simplemente la angustia de la soledad. El sentimiento de pérdida es muy fuerte. Así fuimos programados mentalmente desde pequeños y los medios de comunicación son eficaces para reforzar estas ideas. En las canciones abunda la traición y el desengaño (pérdida); en las telenovelas, donde los temas principales son abandono, celos, inseguridad, desconfianza, desamor y por supuesto, traición, todas las emociones se concentran en una sola: *miedo*.

Algunas personas prefieren quedarse en la situación incómoda, tejiendo miles de marañas por miedo a arriesgarse a lo desconocido.

Tan pronto entendemos que somos capaces de manejar cualquier situación que se nos presente, estamos listos para dar el salto, tomar el riesgo. No es necesario saber cómo lo vamos a hacer, sólo tener la certeza y la fe de que lo vamos a lograr.

Maraña:
La mente está en el cerebro

Cambio:
La mente no está en un lugar fijo

Pensar es crear, porque todo comienza en el pensamiento. Si creemos tenemos la posibilidad de crear. Entonces vamos a hablar del pensamiento. ¿Cómo pensamos los seres humanos? ¿Cuál es el proceso del pensamiento?

Al pensar en la palabra "perro", ¿qué viene a tu mente? Date unos segundos para pensar en un perro. Puede que sea grande o pequeño; de color oscuro o claro, quizá de varios colores a la vez; puede ser agresivo, tranquilo o llorón; un perro que ya conoces o que tuviste en alguna época; o el que te mordió y no te agradó. Construyes en tu mente la imagen de un perro, que será diferente a la imagen que vean tu pareja, tus hijos, tus vecinos. Cada quien construye su propia imagen. Ahora piensa en una casa. Revisa los elementos que están en ella, ¿cuántos cuartos tiene?, ¿cómo es el jardín? O quizá es un departamento y no tiene jardín. ¿De qué color es? ¿Es de un piso o de dos? ¿Tiene plantas dentro o fuera? La imagen que has creado es diferente a la que otra persona diseña en su mente, tú tienes una imagen propia.

Ahora bien, ¿qué ves como imagen de "mente"? Usualmente nada, el pensamiento se queda en blanco. La mayoría de las personas siente confusión cuando se menciona la mente. Algunos dicen que la mente es el cerebro, una masa que no es gris sino beige y rosada, con un peso aproximado de 1.5 kg, de consistencia gelatinosa, centro del sistema nervioso humano. Sin embargo la mente no sólo está en el cerebro, se localiza en cada célula de nuestro cuerpo y es mucho más poderosa y grande que lo que pesa y mide el cerebro.

Cuando pensamos, lo hacemos en imágenes, por eso es sencillo ver la imagen de un perro, una casa, un auto e incluso la imagen de las vacaciones de tus sueños. Sin embargo no tenemos la imagen de la herramienta más poderosa que es la mente. ¿Cómo podemos trabajar con nuestra mente si no tenemos ninguna imagen de ella? ¿Crees que es importante tener una imagen de la mente, con la cual trabajar?

Hay una imagen de la mente, creada por Dr. Thurman Fleet (1895-1983), fundador del Instituto de "Terapia Conceptual" en San Antonio, Texas, en 1934.

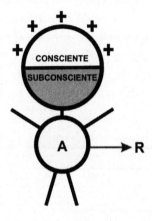

La R representa los resultados que obtenemos en la vida. Estos resultados son en el área emocional, espiritual, física y financiera. El círculo pequeño representa las acciones. Lo que hacemos es lo que determina los resultados que obtenemos. Las 5 cruces representan los 5 sentidos físicos: visión, audición, olfato, gusto y tacto. La parte superior del círculo grande es la parte consciente y la parte inferior representa el subconsciente.

Vamos ahora a explicar cada parte de esta imagen de la mente. Empezamos con los resultados. Observa tus resultados y analiza cuáles te gustan y cuáles no. Tus resultados no son producto de las acciones de los demás. Es hora de dejar de culpar a otros, a las circunstancias y a los factores externos de los resultados que tienes.

Con frecuencia escuchamos en los talleres y seminarios a los participantes comentar cómo su pareja, sus hijos, sus padres, el gobierno, o el clima, son los responsables de la situación que tienen. Frases como "el calor me pone de mal genio y el frió me deprime" muestran la forma en que algunas personas piensan que los factores externos son los responsables de sus resultados. Si tú también crees esta idea, eso significa que vives en esclavitud. Y lo interesante es que te crees libre. Es imposible escapar de una prisión si no te das cuenta que estás en ella.

Durante una conferencia que impartimos en México un joven que estaba sentado en la primera fila afirmó categórico que él no era esclavo de nadie pues sabía lo que quería y estaba haciendo lo correcto para conseguir lo que se había propuesto, que era la prosperidad de su negocio. Cuando le preguntamos si alguna vez alguien lo había hecho enojar, él contestó que sí y en varias ocasiones. Entonces le explicamos que realmente no era libre porque les había dado el control de sus emociones a otras personas. Hasta ese momento el joven había estado a la defensiva y a partir de esa idea cambió su forma de pensar.

Aceptar la responsabilidad por tus resultados no es sencillo, pero es imperativo si quieres ser verdaderamente libre. Siguiendo con la figura de la mente es importante recordar que son las acciones las que determinan los resultados. Nuestras acciones están determinadas por la mente, en su mayoría por la parte subconsciente, aunque otras —en su minoría— se deciden en el consciente.

José se lamentaba de la situación insoportable que tenía con su hijo. Estaba convencido que cuando su hijo dejara de ser terco y entendiera que su padre sabía lo que era mejor para él, entonces la relación cambiaría. La comunicación con su hijo se limitaba a gritos, órdenes y críticas. José no lograba darse cuenta que los resultados que estaba teniendo con su hijo eran simplemente un producto de sus acciones.

La pregunta que surge entonces es: ¿Qué determina mis acciones?

La mayor parte del tiempo vamos en piloto automático. Dejamos que el subconsciente las controle. Esto, en ocasiones, es un gran alivio porque si fuésemos totalmente conscientes, por ejemplo al manejar, deberíamos saber con precisión cuántos semáforos pasamos y cuántos automóviles se cruzaron por el camino. Eso implicaría que tendríamos que coordinar conscientemente los pies, manos, ojos y oídos.

¿Alguna vez has prometido que vas a hacer algo y luego no lo haces? ¿O aseguras que no vas a hacer algo y es lo primero que haces? Algunos padres de familia entienden que gritar a sus hijos no da buenos resultados y se prometen hablarles tranquilamente. Sin embargo, cuando surge una situación difícil, automáticamente gritan. Y luego se recriminan por lo que hicieron. "Sí soy bruto, yo sé que eso no funciona y lo hago nuevamente", se censuran después del hecho.

Vamos a explicar más adelante qué es lo que sucede y te darás cuenta cómo hacer los cambios. Veamos ahora qué pasa con los 5 sentidos. Estás acostumbrado a tomar información del ambiente a través de tus sentidos físicos. Te han educado con la idea de que el mundo real se limita al mundo físico. Ver para creer, dicen algunos.

Los expertos aseguran que a través de los cinco sentidos percibimos sólo un 5% de lo que está alrededor, así que se nos está escapando una buena parte.

Lo cierto es que tenemos facultades superiores que nos permiten tener acceso a un mundo mucho más amplio, las cuales nos dan la oportunidad de crear. Recuerda que en lugar de ver para creer hay que creer para poder ver.

Retomando la idea del científico Albert Einstein, quien afirmó que "la imaginación es más importante que el conocimiento", nos damos cuenta que a través de la imaginación es posible captar un mundo mucho mayor. Los niños tienen una imaginación sin límites. Ellos viajan a otros países, a otros planetas, tienen amigos que los demás no ven y por eso los adultos les dicen que están locos. Pero los niños sí los ven por la sencilla razón de que ellos son quienes crean sus propios mundos.

Mientras impartía clases en una escuela primaria, a Clara le fascinaba confirmar la infinita imaginación de los niños. Una vez se hizo un concurso de dibujo; el tema era libre. Los niños tomaron la tarea muy en serio y pusieron manos a la obra. Con colores, acuarelas, crayones y lápices plasmaron en papel su imaginación. "Cuando nos acercamos a ver el dibujo de Pedrito, de 7 años, todo lo que vimos fue la hoja de papel pintada de color negro". La profesora que estaba con Clara le pidió al niño que por favor pintara algo. La respuesta del niño fue: "Este es mi dibujo, ¿qué no lo ve?". Clara le dijo al pequeño: "Cuéntame sobre tu dibujo". Sus ojitos se iluminaron y empezó a hablar con entusiasmo sobre el bosque con árboles de colores, los animales y la casa encantada. Tanto Clara como Pedrito se transportaron al mundo creado por el niño a través de lo que otros creían que era sólo un manchón negro. Pedrito explicó que la razón por la cual algunos no veían el paisaje era debido a que un mago lo había encantado y se necesitaban "ojos mágicos para ver".

Desafortunadamente, muchos de los adultos que miraban su creación no podían ver las maravillas que había en la obra de Pedrito. Los ojos de muchos adultos que imponen su autoridad sobre los niños han perdido la magia de la imaginación debido a que con el paso de los años han sido entrenados para creer sólo en lo que es perceptible a través de los sentidos. Han dejado dormir la capacidad de soñar para limitarse a ver, oler, palpar, oír y saborear sólo en el plano físico haciendo a un lado ese mundo de ilusión y fantasía imaginativa de la niñez, donde todo se origina.

La mayoría de los adultos se siente apta para entrenar y meter en cintura a niños como Pedrito, y prácticamente los obligan a entrar en ese mundo estrecho y limitado en donde se cree sólo en lo que se ve.

¿Qué pasa cuando el niño empieza a crecer? ¿Qué se le dice? ¡Ubícate! ¡Madura! ¡Ponte a hacer algo útil! ¡Deja de estar perdiendo el tiempo! ¿No aprendes? ¡Bájate de esa nube, aterriza, deja de estar soñando! ¡Espera para que veas cómo es la vida! ¡La vida es tan difícil!

Resulta que la realidad se crea primero en la mente y les seguimos insistiendo a los niños que dejen de usar su imaginación. Les decimos "pon atención" pero les exigimos que se enfoquen sólo a ese 5% que vemos porque ellos *sí* están prestándole atención a un mundo más extenso. Ellos están viendo ese mundo que tú ya no ves.

Nunca tendremos el original de una canción o de una pintura. El original está en la mente de quien lo crea. Nosotros tenemos las primeras copias. Así que cuando le digas a un niño ¡Pon atención! será mejor que le des atención a lo que él o ella están haciendo y empieces a preguntarle ¿a dónde estás viajando? ¿De qué color es? ¿Hasta dónde vas a llegar? Déjalos soñar, ayúdales a ver más del 5% que a ti te mostraron. Así puedes empezar a hacer la diferencia en sus vidas y darles lo que a ti quizá no te dieron.

¿Cuándo fue la última vez que soñaste sin estar dormido? ¿Sigues creando diariamente? O nada más recreas lo mismo una y otra vez. Durante las sesiones de los seminarios podemos detectar a quienes han dejado de soñar y se pasan la vida revolviendo el pasado, por lo tanto el dolor, la frustración, la rabia y el resentimiento. Son aquellas personas que han dejado de soñar, de crear un presente diferente y se conforman con lo que conocen.

Maraña:
No puedo cambiar

Cambio:
Decido cambiar

Los argumentos de muchos para no hacer cambios en su vida vienen de la mano de ideas

limitantes, entre ellas, la ignorancia. Algunos hacen a un lado esa pared y se lanzan en busca de nuevos horizontes. Otros sencillamente esperan a que los demás cambien mientras ellos juzgan y se lamentan porque eso es lo que deciden hacer. La decisión de cambiar está ligada a la necesidad de tener resultados diferentes y para ello es necesario educarse, investigar, leer, asistir a clases y cultivar la zona donde radica el poder para hacer los cambios: la mente.

Conociendo cómo funciona la mente se pueden realizar los cambios. La mente se divide en la parte consciente y la subconsciente. Presta mucha atención a la diferencia entre las dos. El consciente es la parte de la mente con la que piensas. Pensar es analizar, tomar una idea, ver qué funcionó y qué no, qué aprendiste y qué vas a hacer diferente la próxima vez. El consciente es la parte con la cual aceptamos o rechazamos una idea, es la que diferencia la fantasía de la realidad, es la parte que menos se usa. "La gente prefiere morir que pensar", decía el dramaturgo Bernard Shaw (Premio Nobel de Literatura, 1925) quien afirmaba que "se había vuelto famoso al pensar dos o tres veces por semana".

La gente piensa que piensa y lo único que hace es darle vuelta al mismo pensamiento todo el tiempo. ¿Cuántos de ustedes llevan dándole vueltas al mismo CD mental por años? Por eso están deprimidos y de mal genio. No toman decisiones porque están pensando casi siempre en lo mismo, muy seguramente en algo que les pasó hace mucho tiempo. Después adoptan el papel de víctimas. "¿Por qué me pasó a mí? ¿Por qué me tenía que hacer eso? No me lo merezco". Y ahí están de nuevo con el mismo asunto. Pasa el tiempo y durante unas horas se entretienen en algo diferente pero después se acuerdan y ¿qué hacen? Vuelven a lo mismo: "¿Por qué a mí?". Después de unos días, otra vez ese pensamiento repitiéndose; unas semanas más tarde y regresan a esa historia de dolor y resentimiento.

Rebeca se quejaba amargamente de la infidelidad de su esposo, con quien había estado casada durante quince años. Ella aseguraba que lo había perdonado porque tenían tres hijos, sin embargo las peleas continuaban todos los días. Por la más pequeña molestia Rebeca volvía a echarle en cara a su esposo su infidelidad aún cuando el hecho había ocurrido doce años atrás.

A pesar del paso del tiempo —y algunos llevan 10, 15, 20 años dándole vueltas a lo mismo—, las emociones persisten. Las personas creen que piensan, pero lo cierto es que eso no es pensar.

Desde temprana edad, cuando se empieza a desarrollar la habilidad de análisis, se nos va entrenando, no a pensar sino a obedecer. El niño pregunta: ¿por qué el cielo es azul? ¿Por qué no puedo meter los dedos en el enchufe? ¿Por qué me tengo que poner esa camisa? Y vienen las sabias respuestas de algunos padres y madres: "¡Porque sí! ¡Porque lo digo yo! ¡Qué lata das, nada más obedece y ya! ¡No seas cansón! ¡Tú SÍ que eres preguntón!". Esta última frase se dice con la implicación de que preguntar es malo, incorrecto e indebido.

En lugar de aprovechar las oportunidades para enseñarles a pensar, usamos esos momentos de cuestionamiento para instruir a los niños de tal forma que se conviertan en borregos: a sólo seguir, a obedecer sin cuestionar, a ser sumisos.

Desde muy temprana edad se les enseña que pensar es incorrecto y luego, cuando ellos se equivocan, se les grita: "¡Es que no piensas! ¿Cuándo vas a empezar a pensar?". Seguramente ellos van a pensar cuando se les permita hacerlo.

Ahora bien, en la parte subconsciente está la "varita mágica o el genio de la lámpara" al que le da igual que digas: "Soy un tonto", "Qué inteligente soy", "Todo me sale mal, tengo mala suerte" o "Estoy seguro de que todo está bien". La respuesta siempre será la misma: "Tus deseos son órdenes". Todo lo que piensas, puedes hacerlo realidad.

El subconsciente es la parte de la mente que trabaja 24 horas al día, 7 días a la semana. Es la parte de la mente que controla nuestras acciones la mayoría del tiempo. En situación de estrés el subconsciente toma el mando pues es nuestro piloto automático. El subconsciente no distingue entre fantasía y realidad. ¿Alguna vez has soñado que te están persiguiendo o que estás cayendo al vacío y te despiertas asustado, con taquicardia, nervioso? Era un sueño pero tu cuerpo reaccionó a las emociones que en él se produjeron porque para el subconsciente no hay diferencia entre fantasía y realidad. El subconsciente acepta todo, absolutamente todo, mientras que el consciente tiene la capacidad de rechazar o aceptar una idea.

Héctor llevaba cinco años diciéndole a su esposa que pintaría la parte exterior de la casa pero ponía mil pretextos para no empezar: "Hacía calor, hacía frío, no había dinero, estaba muy ocupado, era muy difícil, era mucho trabajo, estaba cansado". Héctor formaba parte de *Liderazgo-Nivel 1* y cuando expresó las cosas que había dejado de hacer por desidia, se le retó a que pintara la casa en un fin de semana. Al principio se puso furioso, se negó a hacerlo y mientras refunfuñaba acostado en la cama reflexionó en el hecho de que eso era lo que hacía siempre: buscar excusas para decir que no podía hacerlo. Ese fin de semana pintó él solo y en dos días todo el exterior y luego empezó a pintar el interior de su hermosa casa.

El pionero y visionario de la industria automotriz norteamericana, Henry Ford, dijo: "Si crees que puedes o crees que no puedes, tienes toda la razón".

¿Cómo funciona el subconsciente? El subconsciente es un piloto automático. Imagínate que haces un viaje en avión. Vamos a partir de Phoenix a París. Cuando el avión llega a cierta altura el conductor ajusta el piloto automático con las coordenadas hacia París. El avión nunca va en línea recta porque hay factores que lo van a sacar de su curso. Supongamos que llega una turbulencia, o que hay tormentas y cambios en la presión de aire. Esto saca al avión de su dirección. El piloto automático detecta la desviación y regresa el avión a la ruta trazada de acuerdo a sus coordenadas. Durante todo el viaje el avión está entrando y saliendo y al final llega a París.

¿Qué sucede si a medio camino se me ocurre que quiero ir a Hawái? ¿Así como está programado, llegará a Hawái? No, porque el avión está programado para ir a París. ¿Cuál sería la forma de llegar a Hawái en este avión? Sólo es posible cambiando las coordenadas hacia el nuevo destino a donde se quiere llegar.

El subconsciente funciona de la misma manera. Desde que estamos en el vientre materno se van formando nuestras coordenadas. El bebé recibe primero la carga genética y luego todas las sensaciones de la madre y de los que están alrededor de ella. Al nacer sigue el condicionamiento basado en lo que le llega a través no sólo de sus sentidos físicos sino también de lo que siente. Cada experiencia que tiene el bebé va formando parte de ese mapa mental que va a dirigir su vida.

El subconsciente puede compararse con un clóset. El consciente es el guardián que está a la entrada y tiene la habilidad de decidir qué entra y qué no entra en ese clóset. Pero el clóset no tiene esa capacidad. Ahora bien, el problema radica en que usualmente el guardián está distraído porque tiene muchas tareas que atender. Imagínate el clóset con el guardián delante de la puerta abierta. Ahora visualiza al guardián dormido o distraído con otras cosas. Pasa la gente y al ver la puerta abierta todos van tirando allí lo que les estorba, por ejemplo la rabia, el dolor, el miedo, el resentimiento, el amor, la tolerancia o intolerancia, la alegría o la tristeza, etc. Y pasan los días y el clóset cada vez se llena más.

A medida que crecemos, nosotros también empezamos a meter cosas en ese clóset, en la mayoría de las ocasiones sin darnos cuenta. El que se da cuenta, que es el consciente, continúa dormido o distraído. Así como a nosotros nos distrae el diario sobrevivir, los medios de comunicación, el ambiente, el clima, la situación económica, la política y los políticos, el guardián se va atrofiando a medida que pasa el tiempo y cada vez se distrae más y más. Como deducirás, si el guardián no sabe lo que está pasando entonces no tiene ni idea de qué hay dentro del clóset.

Lo que hay dentro de nuestro subconsciente determina la mayor parte de nuestras acciones, por eso tenemos los resultados que tenemos y usualmente no entendemos por qué suceden. Decimos que queremos algo y obtenemos otra cosa. O sea que seguimos queriendo ir a Hawái en un avión programado para ir a París.

Vamos a hablar de un ejemplo: la violencia doméstica. Algunas de las coordenadas de la persona que está en esta situación son: "No valgo", "No sirvo para nada", "Aprendo sólo a golpes", "Nadie me quiere". Esas ideas —o coordenadas— fueron puestas en su mente desde una etapa muy temprana de su vida —en ocasiones desde que estaba en el vientre materno— y continuaron durante sus primeros años de existencia. Con este tipo de información, la persona empieza a actuar de tal manera que atrae para sí misma a alguien que la va a maltratar verbal o físicamente. En algún momento, ya sea por presión de la familia, los amigos o por alguna otra circunstancia, la persona en cuestión decide salirse de esa situación. ¿Qué sucede? Se dispara la alarma, el piloto automático detecta que el sujeto se ha salido de ruta. Se encienden los focos de emergencia y los sonidos de peligro. Algo similar a lo que pasa cuando el avión se sale de su ruta y el piloto automático corrige la desviación.

La persona —en un gran número de casos— regresa a la situación "normal" de abuso porque el trabajo del subconsciente es asegurar que lo almacenado ahí se convierta en realidad física.

Margarita vivió veinte años en una situación de violencia doméstica. Su esposo la agredía física y verbalmente y también a sus cuatro hijos. Ella lo corría de la casa y él regresaba aparentemente arrepentido —por algunos días—. Cuando la violencia acrecentó y ella se dio cuenta de diversas infidelidades, lo abandonó en varias ocasiones, pero terminaba cediendo. La situación parecía cambiar por unas semanas y luego volvía al mismo patrón. Ella aguantaba los malos tratos porque aparentemente "no quería que sus hijos crecieran sin su padre", sin embargo los años pasaron, los hijos crecieron y fueron ellos los que le pidieron que se divorciara de él.

Cuando ella asistió al seminario comprendió que el patrón que seguía era el mismo que su madre había tenido con su padrastro. Hubo abuso físico y emocional, pero además hubo abuso sexual, no hacia

ella sino con una de sus hermanas. Ella presenciaba las escenas y lloraba tapada hasta la cabeza con la cobija. El hombre la había ame-
nazado con matarla y matar a su madre si ella decía algo así que por
miedo obedecía todo lo que el sujeto le ordenaba. Constantemente
la insultaba diciéndole cosas como: "Eres una inútil y estás tan fea
que nadie te va a querer nunca", "Yo no sé para qué naciste, eres un
estorbo, lárgate de aquí". Además le recitaba un montón de groserías
con palabras altisonantes, las mismas que años después escuchaba de
labios de su pareja.

Margarita se creyó la historia de que su vida no tenía valor porque
la idea estaba sembrada a nivel subconsciente. El genio de la lámpara
respondía a lo que ella pensaba de sí misma y atrajo a su vida a un
hombre que con sus acciones le confirmó las ideas que tenía en su
mente subconsciente. Por fortuna para Margarita, a partir de que ella
decidió mirar dentro de sí, conocer el origen de las ideas y ser consciente de sus resultados, su vida ha dado un giro. Ha hecho cambios
sustanciales. Empezó a quererse a sí misma en lugar de esperar a que
otros la quisieran.

Maraña:
Vieja idea, mismo resultado

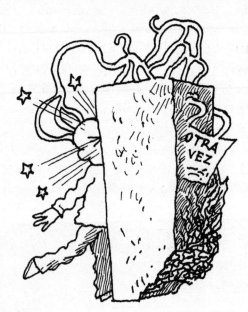

Cambio:
Nueva idea, nuevo resultado

Muchas veces se busca cambiar los resultados sin cambiar el piloto automático.

Es similar al hecho de querer ir a Hawái en un avión que está programado para ir a París. No es posible cambiar los resultados sin cambiar la programación. No importa cuánto esfuerzo hagas, no vas a cambiar los resultados a menos que cambies primero las coordenadas de tu subconsciente o lo que llamamos programas, coordenadas, ideas o mapas mentales, que al enredarse se convierten en marañas.

Puedes cambiar los resultados por un tiempo corto, sin embargo, tarde o temprano el piloto automático va a detectar la diferencia de curso y lo va a corregir. Y podríamos decir en "lenguaje" popular colombiano, "vuelve el burro a las batatas", lo que en México diríamos, "vuelve la burra al trigo".

Si deseas hacer cambios permanentes en tu vida es importante revisar tus ideas, tus coordenadas, tus mapas mentales o tus programas. Es indispensable hacer una evaluación honesta de lo que hay en ese clóset mental, o sea, tus creencias, valores, ideas, marcos de referencia, etc. ¿Te has puesto a meditar en qué crees? ¿Has analizado si realmente son tus creencias propias o son las que te impusieron tus padres, abuelos, tíos o la misma sociedad? Porque si los resultados que tienes no te satisfacen, necesitas cambiar tus coordenadas.

Reiteramos el hecho de que hacer cambios afuera, sin hacer cambios adentro, es como querer ir a Hawái en un avión con coordenadas a París. No importa cuánto sudes, cuánto pelees, cuánto llores, cuánto grites, vas a llegar a París.

Algunos de los que hacen dietas también tienen programas mentales, nudos o marañas, que dicen: "No quiero que me vean", "Estoy feo y gordo", "No me lo merezco" y muchas otras marañas de no merecimiento. Su conducta los lleva a estar con sobrepeso, incluso a cambios físicos que les acarrean enfermedades porque aún cuando logran bajar de peso, el piloto automático les dice: "Espera, acuérdate que estás feo y gordo" y se repiten a sí mismos refranes que en nada ayudan: "Aunque la mona se vista de seda... mona se queda", "El que nace pa' tamal del cielo le caen las hojas".

Estas ideas y otras similares hacen que la persona vuelva otra vez al mismo comportamiento, a la misma maraña. Y no sólo recobra el peso que había perdido, sino que ¡sube más! Está queriendo cambiar los resultados sin cambiar las coordenadas. Si el clóset mental está lleno de inseguridad, es imposible sacar seguridad de ahí.

Lo maravilloso es que tenemos la capacidad de cambiar lo que hay en ese clóset. Podemos revisarlo y seleccionar lo que queremos guardar y lo que deseamos desechar. Toma tiempo y paciencia, sin embargo es posible.

¿Sabes que hay en tu clóset mental en tu subconsciente? ¿Conoces las marañas que has ido tejiendo? Mira tus resultados y empezarás a darte una idea de lo que vas a encontrar en ese clóset.

Clara fue tutora de matemáticas y con frecuencia encontraba un factor común en muchos estudiantes: el convencimiento de que las matemáticas son difíciles y que ellos eran muy torpes para los números.

Tracy tenía 11 años y sus calificaciones eran buenas, excepto en matemáticas. Ella estudiaba arduamente, su profesor le dedicaba tiempo extra, sus padres se sentaban con ella a hacer las tareas pero los resultados no cambiaban. Tracy estaba cada vez más estresada y empezaba a tener problemas de conducta. Cuando llamaron a Clara para que fuera su tutora le advirtieron que iba a ser complicado pues habían intentado ayudarla de muchas maneras sin resultados positivos. Desde que Clara llegó a casa de la menor por primera vez, pudo sentir en la niña el nerviosismo, dolor y miedo al fracaso.

Tracy era adorable y, ante todo, le gustaba leer. La primera clase la dedicaron a hablar sobre lo que ella leía, sus sueños y sus dudas. Tuvieron una conversación interesante sobre los números. Intuitivamente Clara pensó que necesitaba trabajar con ella en sus opiniones acerca de las matemáticas para cambiar esa idea enmarañada de que "las matemáticas son difíciles, soy mala para los números". Los resultados que Tracy tenía se alineaban perfectamente a estas creencias. Ella estaba deseando ir a Hawái en un avión con coordenadas programadas para ir a París.

Afortunadamente, cuanto más joven, más fácil es la reprogramación o reaprendizaje. Tan pronto Tracy se convenció de que los números son un juego, los resultados cambiaron y a medida que iba teniendo triunfos en esta área, la confianza en sí misma y en su habilidad matemática también cambiaron. Las ideas nuevas produjeron el cambio y se empezaron a grabar nuevas coordenadas en su subconsciente. Cambió la ruta que llevaba: nueva programación, nuevos resultados; nuevas ideas, nuevos resultados.

Las personas ven sus resultados y al no entender cómo funciona su mente fácilmente culpan a los demás y a las circunstancias. La mayor parte del tiempo el enfoque es hacia afuera, en el mundo físico. Las ideas, valores y creencias se pasan de generación en generación sin ser cuestionados.

En un seminario, después de realizar un ejercicio de confianza, un señor se dio cuenta de que desconfiaba de los hispanos. Pero al analizar esa creencia encontró que no tenía bases para ello. Recordó entonces que sus padres usualmente hacían comentarios negativos hacia los hispanos. El examinar la situación le ayudó a cambiar su actitud sin juzgar a sus padres. Lo más interesante es que el 98% de los asistentes al seminario, ¡eran hispanos!

Esto es un bosquejo en general para que entiendas cómo trabaja la mente y así logres hacer algunos de esos cambios que necesitas.

Maraña:
Por tu culpa estoy mal

Cambio:
Yo estoy bien, tú estás bien

Cuando sales de la "zona de comodi-dad" —que no es nada cómoda pero es la única

que conoces—, tú y los que la han compartido contigo se van a asus-tar. Sentirán como si hubiera un temblor de tierra. Por mucho tiempo estuvieron ahí y ya se acostumbraron. Aunque duela, por lo menos saben qué esperar.

Si se trata de una familia en situación de violencia domés-tica, por ejemplo, todos saben que cuando el agresor llega "de malas pulgas", de mal humor o de no muy buen genio, va a gritar, insultar y golpear. Saben también que después se va a arrepentir y a pedir per-dón, lo cual da un poco de esperanza a la posibilidad de que mañana será diferente.

Con frecuencia Marina llegaba llorando a nuestras clases. Se des-ahogaba hablando de lo mal que el marido la trataba, que no la deter-minaba para nada, que estaba agobiada por las deudas. Señalaba a su pareja como el culpable de su situación financiera porque no alcanza-ba a cubrir todos los gastos y él era "tan irresponsable" que no se fijaba en todo lo que ella hacía para complacerlo.

Al empezar su trabajo de desarrollo personal, Marina se dio cuen-ta que ella era responsable de los resultados —eso no quiere decir que su marido se deslindara de su propia responsabilidad— porque ella estaba esperando que los cambios se dieran solos, sin poner de su parte. En vez de gastar toda su energía en los pleitos de pareja, se dio tiempo para sí misma y empezó a hacer ejercicio, a jugar con sus hijas, a con-versar y salir con amigas. Y en lugar de seguir culpando al marido por lo que sucedía en la relación, entendió que ella no podía cambiarlo a él. En la única persona en la que ella podía hacer los cambios, era en ella misma.

El esposo tuvo su propio proceso, aunque se negó a recibir apoyo de nuestra parte. La ayuda le llegó de otra forma, cuando al conducir en estado de embriaguez recibió una multa bastante costosa y debió asistir a una escuela. Allí aprendió cómo manejar su agresividad. Gastó cinco veces la cantidad del costo de nuestro seminario pero al final aprendió.

Marina se dio cuenta que cuando ella se sentía bien, sus hijas estaban bien y su relación de pareja también mejoraba.

Obviamente, como el Universo se mueve constantemente, es imposible que algo permanezca igual: mejora o empeora, o vamos para adelante o para atrás.

Antes de lanzar culpas hacia afuera averigua qué se mueve en tu interior. Recuerda que cuando señalas con el dedo acusador hay otros tres dedos que se dirigen a ti. Por supuesto que es más sencillo criticar, señalar, juzgar, lanzar culpas, a eso te has acostumbrado. Asumir la responsabilidad requiere esfuerzo pues si fuera tan sencillo cualquiera lo haría, y por los resultados en la humanidad, es evidente que la mayoría practica la ley del menor esfuerzo. Sólo recuerda que lo que está en juego es tu propia vida.

Maraña:
Cuando yo gano, tú pierdes

Cambio:
Todos ganamos

Al son del mariachi, con bongós, tambores y acordes de violín melancólico, la maraña de la víctima está presente en los temas musicales que llegan "al corazón". De ahí los éxitos de las canciones en que "Soy un perdedor" y letras como "A mí me tocó las de perder".

¿Por qué ese afán de ver todo desde la óptica del que pierde? Por tener empatía con él o la que fue traicionada, con el débil y el pobre. La tendencia a solidarizarse con el perdedor viene de la mano de una maraña mental donde aprendimos que siempre que alguien gana, otros pierden. Entonces se dicen frases como: "Pobrecito, tantas ganas que tenía de vencer y ese grandulón se aprovechó. Es un abusivo, claro, porque es más grande y más fuerte y como tiene dinero y el otro pobre no tiene nada, ¡pues cómo no iba a perder!".

En lugar de aplaudir el esfuerzo, se le critica. Se ponen en tela de juicio las formas en que se logró tal o cual situación: "Claro, está en ese puesto porque se acuesta con el jefe", "Es sobrino del director, por eso está donde está", "Es un inútil pero es bien 'transero'". "Acuérdate que el que no transa, no avanza".

Hay toda una serie de ideas que se manejan cuando existe lucha por el poder que implican que quien gana es porque hace triquiñuelas, delinque o es chueco y transero. Originalmente, la palabra proviene de "transacción", que es un acuerdo comercial o de negocios. Pero el uso popular la ha deformado y también se utiliza para devaluar al oponente.

La competencia, que no es sino la aspiración a lograr una misma cosa, trae como consecuencia ideas de rivalidad, demostración de poderío y lucha para acabar con el débil. Aunque el término "competencia" no implica todo lo anterior, esa es la interpretación que casi todas las personas le dan. Por lo tanto, hay un montón de gente creyéndose la idea de que son *"loosers"* o perdedores porque no han "triunfado en la vida".

Durante una dinámica en contacto con la naturaleza y un hermoso paisaje nevado les pedimos a los participantes que se integraran en 4 grupos y se dieran a la tarea de elaborar el muñeco de nieve más original. El resultado fue fantástico, las creaciones resultaron realmente únicas. Luego les pedimos que cada uno elaborara 10 bolas de nieve. Enseguida les dijimos: "El propósito es proteger su creación". Unos segundos después se desató una verdadera batalla campal que terminó por deshacer todos los muñecos de nieve entre risas de júbilo.

Al compartir ideas sobre la dinámica les preguntamos a los participantes por qué habían acabado con una bella obra recién creada. Apenas unos minutos antes todos aseguraban que les había costado trabajo hacerla y estaban orgullosos y seguros de que la suya era la mejor. Varios dijeron que sólo respondieron a la orden que les dimos de "atacar" a los otros equipos.

Fue interesante comprobar que en las marañas mentales, esas ideas de competencia están ligadas a las de ganar a costa de los demás. La consigna era defender y de la mano vino lo opuesto: atacar.

Aquí va entonces esta idea de cambio: *"ganador-ganador"*. ¿Qué piensan ustedes cuando observan estas palabras puestas juntas? Algunos dicen cosas como: "Que yo gano el doble", "Gano de todas, ¡todas!", "Que se molesten todos pero sólo yo gano".

¿Qué significa para ti ser *ganador-ganador*? La idea es que cuando yo gano, el otro también gana. ¿Qué es lo importante para ser *ganador-ganador*? "Que sea 50-50" dicen algunos. "Que sea parejo el asunto", afirman otros. Sin embargo, el objetivo es que ambas partes queden satisfechas y eso no necesariamente significa mitad y mitad.

Ganador-ganador es un concepto en el cual todas las partes involucradas ganan. No tiene que perder uno para que el otro gane, ni hay necesidad de que yo le quite a alguien para lograr lo mío. Los dos podemos tener y los dos estamos felices. Es un concepto que pelea con la maraña de *ganador-perdedor*. Desde pequeños se nos enseñó que había que ganar a toda costa y que para ganar, alguien tenía que perder. A través de los juegos en la escuela y en el hogar todo apunta hacia la competencia. Los hermanos compiten por el amor de sus padres; los alumnos compiten por la atención de sus maestros; los empleados compiten por un ascenso; los deportistas compiten para ganar el primer premio.

Al inicio de un partido infantil de básquetbol que organizamos, los niños estaban un poco nerviosos pero rápidamente empezaron a disfrutar el juego. Sin embargo, a medida que avanzaba el tiempo, uno de los padres del equipo que iba abajo en el marcador empezó a tensionarse y cada vez que alguno de los participantes fallaba una canasta, él gritaba enojado. Su energía contagió a otros padres y rápidamente los niños empezaron a ponerse nerviosos y a perder su alegría. Al terminar, se notaba en sus caras el dolor. Entre los jugadores estaba Rafael, quien al final del juego le explicó a su mamá que cuando dejaron de disfrutar se dio cuenta que el equipo estaba perdiendo algo más importante que el partido: su espíritu y alegría.

En juegos sucesivos, Rafael y su equipo ganaron algunos partidos, perdieron otros, de acuerdo con los estándares sociales. Al terminar la temporada el niño dijo: "Es cierto, al final todos ganamos. *Ganar-ganar* es posible, aprendimos a disfrutar el juego, hicimos nuevos amigos y comprendimos que lo más importante en la vida no es ser campeones por puntos sino ser cada día mejores seres humanos. La verdadera ganancia está en el aprendizaje". Rafael tenía entonces trece años.

Viviendo con ideas de *perdedor-perdedor* se acaban los matrimonios, las sociedades mercantiles, las amistades, las familias, la sociedad. El futuro se vuelve incierto. Cuando se aplica la premisa de *ganador-ganador* afloran el entendimiento, la comprensión, la armonía y el disfrute pleno, sabiendo que las experiencias obtenidas —independientemente del marcador o saldo— sirven para el crecimiento del ser, porque ante todo, por encima de cualquier competencia, el objetivo es *ser un mejor ser humano.*

Maraña:
Si te doy, se me acaba

Cambio:
Cuando doy, siempre recibo

Siendo todavía niños aprendimos a dar

por conveniencia, esperando algo a cambio: "Aunque sea las gracias" dice la gente. Es más, se nos exige que demos las gracias a cambio de algo que recibimos, de lo contrario entramos en el club de los "maleducados". Y no queremos decir que agradecer sea incorrecto, de ninguna manera. Ser agradecidos nos da la oportunidad de valorar lo que tenemos, en lugar de ansiar y envidiar lo que no tenemos. El asunto es que se nos obliga a dar las gracias en lugar de dejar que este sea un acto natural.

Entonces aprendemos a dar con condiciones: para sentirnos aceptados, para recibir amor, para que nos aprueben. Los niños pequeños dan espontánea y libremente pero empiezan a temprana edad a ser instruidos en dar esperando recibir algo a cambio.

Esta maraña está ligada a los pensamientos de escasez con los cuales crecimos, y de los que hablaremos más adelante. Porque la escasez no se limita sólo al dinero sino a crear marañas de tacañería en el amor, servicio y aprecio por los demás. Brindar palabras de afecto, realizar acciones altruistas, practicar servicio comunitario, servir a otros sin esperar nada a cambio, son acciones escasas.

Las personas viven buscando recibir amor pero ponen una barrera porque "las han herido tanto". Entonces dan lo que tienen: resentimiento, rabia, frustración y coraje. Si lo que quieres es recibir amor, empieza a darlo y si crees que no lo tienes, busca apoyo.

Cuando Ignacio llegó al taller que impartimos cada semana compartió que estaba devastado porque su novia había terminado la relación y estaba "volviéndose loco" al grado que había renunciado a su trabajo porque no se podía concentrar. Tenía un estado de alteración profunda. Aseguró que amaba mucho a esa mujer, que daría la vida por ella, que estaba dispuesto a cambiar, incluso a dejar de beber al-

CLARA ARENAS - MIRNA PINEDA | 65

cohol para mantener la relación. Le había comprado regalos costosos, había hecho fiestas en su honor para celebrarle su cumpleaños, había invertido tiempo y dinero en la relación y ella apenas le murmuraba un sutil "gracias". Eso lo enfurecía. Cuando le preguntamos cuánto se quería a sí mismo, contestó: "No lo sé".

Lo cierto es que si la persona no se ama a sí misma es prácticamente imposible que pueda dar amor. Ignacio buscaba llenar sus propios vacíos exigiéndole a su pareja que le respondiera de igual manera. La novia se percató de la inseguridad de Ignacio y decidió no continuar la relación. Cuando le dijimos que ella le había dado un maravilloso regalo, su rostro se descompuso. Sin embargo le explicamos que el rompimiento de la relación le había dado la oportunidad de buscar ayuda, de trabajar verdaderamente en sí mismo para deshacer sus marañas mentales en las cuales había resentimiento por el alcoholismo de su papá y la sumisión de su madre que sufrió de violencia doméstica, entre otros sucesos en su vida. Ignacio estaba repitiendo la historia de sus padres. Daba esperando siempre recibir algo a cambio.

Para dar es indispensable soltar. Sin embargo la mayoría asegura que sabe dar aunque le amarran un cordón invisible y muy largo a lo que dan. En realidad lo que hacen son "cambalaches" o trueques. Dan para recibir algo a cambio y si no lo obtienen, se ofenden.

Supongamos que se acerca el cumpleaños de una persona por la que tienes un aprecio especial y que dedicas buena parte de tu tiempo y una apreciable cantidad monetaria para darle un obsequio único. Buscas por todos lados, pasan las horas y no encuentras "eso" especial. Finalmente lo tienes en tus manos, estás seguro que "eso" le gustará a tu agasajado. Pides además que te lo envuelvan en el mejor papel y escribes una tarjeta con palabras emotivas. Cuando lo entregas te sientes feliz y orgulloso, diste un muy buen regalo y a cambio la persona te agradece el detalle.

Con el paso de los días te enteras que ese regalo que obsequiaste con tanto amor, ¡lo tiene otra persona! O sea, tu regalo fue regalado. ¿Cómo te sientes?

Aparta tus ojos de esta lectura para que verdaderamente pienses en lo que estás sintiendo. Escríbelo en una hoja, date la oportunidad de sentir, haz de lado el razonamiento y la lógica, sólo siente. Después de escribirlo, sigue leyendo. Si las palabras que plasmaste son: enojo, rabia, coraje, frustración, desconcierto, depresión, tristeza o algún sinónimo, quiere decir que *no* sabes dar. Porque cuando das con el corazón, no hay emociones negativas al enterarte de que el regalo pasó a otras manos. No importa lo que la otra persona hace con el obsequio, tú ya lo diste. Si él o ella lo guarda en un cajón, en el clóset, debajo de la cama, lo dona, lo intercambia o incluso si lo rompe, es asunto de la otra persona, no tuyo. Diste, y al hacerlo estás soltando.

Pero si las emociones que afloran son negativas, aunque asegures que sabes dar, tus resultados arrojan que no es así. Estás atando ese cordón porque en el fondo esperas recibir algo a cambio.

Laura estaba pasando por una situación complicada al no encontrar trabajo y nos comentó que no tenía amigos verdaderos. Ella había ayudado a mucha gente cuando estaba en un puesto directivo, pero ahora, cuando ella más lo necesitaba, nadie le tendía una mano. Estaba molesta, dolida con las personas a las que apoyó antes y que ahora no respondían a su solicitud.

Parte del condicionamiento, de los programas y marañas mentales que tenemos, es que "si te ayudo, me debes una". En algunas ocasiones hasta lo llegamos a expresar, porque así lo aprendimos. Otras veces se guarda silencio pero el compromiso queda grabado en algún lugar de la mente. Lo cierto es que si tenemos la oportunidad de servir, debe ser desde el corazón, sin esperar recibir nada, absolutamente nada a cambio. Y por consecuencia, cuando tenemos una necesidad, tampoco debemos esperar que alguien pague una deuda que sencillamente no existe.

Ahora hablemos de lo que aparenta ser lo contrario: recibir. Vamos a poner un ejemplo. Resulta que hace un tiempo tuviste una situación complicada y pediste ayuda a una amiga. En ningún momento tu amiga dudó en apoyarte y gracias a su generosidad pudiste salir adelante del trance. Sin embargo, meses más tarde, tu amiga enfrenta un serio inconveniente y realmente necesita que alguien la apoye. Entonces acude a ti. Desafortunadamente tú no estás en condiciones de ayudarla y tienes que decirle que no. ¿Cómo te sientes? Deja de razonar y abre de nuevo el corazón. Escribe las primeras emociones que vengan a tu mente.

Si entre esas emociones se encuentran la culpa, —porque te sientes comprometido— o molestia contigo mismo, es que no sabes recibir. Te sientes obligado a devolver el favor. Hay una sensación de remordimiento porque "le debes algo" a esta persona puesto que te apoyó cuando tú lo necesitaste.

Dar y recibir son la misma cosa, son exactamente lo mismo. ¿Tienes dificultad para recibir? Te cuesta trabajo pedir que te ayuden y si te dan algo te sientes incómodo. Como no sabes recibir, y recibir y dar es lo mismo, entonces no sabes dar.

Francisco tenía alrededor de 5 años cuando sus padres Mabel y René le compraron un auto de juguete precioso y costoso. Siendo hijo único querían darle lo mejor. El niño estaba feliz, jugaba con el carro y como agradecimiento, emocionado abrazó y besó a sus padres. El tiempo de euforia duró menos de dos días. Unos amigos de la familia fueron a visitarlos y llevaron a su hijo Jesús de 3 años. Los niños jugaron y al final de la jornada, cuando los invitados se despidieron, Mabel y René se dieron cuenta de que Jesús llevaba en sus manos el juguete de su hijo. Los invitados pidieron a su hijo que dejara el juguete en la casa, pues no le pertenecía. Francisco habló entonces y con toda naturalidad dijo: "Yo se lo regalé". Los padres de los dos niños se sintieron incómodos y decidieron que no era correcto, así que devolvieron el juguete al dueño original.

Ninguno de los dos niños entendía por qué era malo dar y recibir. Mabel y René se encargaron de explicarle a Francisco que ese carro se lo habían comprado con mucho amor para él, que les había costado bastante dinero y que él debía aprender a apreciar los regalos. El niño protestó: "Pero si mi amigo lo quería y yo ya jugué con el carro. Además es mío". El padre le explicó que el niño no debió haberlo pedido pues era de mala educación. Francisco respondió: "No me lo pidió, sólo dijo que le gustaba y yo se lo di". El papá le contestó: "Pues está muy mal, eso es ser desagradecido y estoy seguro que sus papás le van a enseñar que no se va a las casas ajenas recibiendo todo lo que te ofrecen".

Los padres de Francisco se encargaron del proceso de enseñarle a su hijo a convertir algo natural en malo. Los niños no comprendieron la lógica del asunto pero sí aprendieron que si regalas algo debes esperar otra cosa a cambio, que si a ti te dan un regalo, debes dar algo también. Dar y recibir es malo, te metes en líos cuando lo haces. Esa fue la lección.

Dar implica soltar. Lo que das ahora le pertenece a la otra persona para que ella haga lo que quiera con ese regalo. La persona puede aceptarlo o rechazarlo, regalárselo a un tercero o deshacerse de él. Y quien lo dio, si lo dio de verdad, debe ser indiferente a lo que pase con su regalo.

Igual sucede cuando recibimos. Si sabemos recibir no nos sentimos comprometidos con quien dio. Simplemente le damos la oportunidad a la otra persona de experimentar lo que es dar.

La pregunta que usualmente hacen los padres es: "Entonces ¿cómo le enseño a mi hijo a ser agradecido?".

La respuesta es sencilla: *con el ejemplo*. Ser agradecido no implica estar comprometido ni sentirse obligado con los demás. Si entendemos la ley universal de la compensación, no tenemos que preocuparnos y podemos dar y recibir con libertad. Todo lo que ponemos en el Universo se nos regresa —y en muchos casos multiplicado—. Tan pronto doy o recibo, pongo en movimiento la energía universal, no tengo que preocuparme por lo que va a suceder después. Sólo confío. Doy y recibo con amor, con plenitud, con humildad. Y no estamos hablando únicamente de cosas materiales. Esto aplica a todas las áreas de nuestra vida: dar tiempo, amor, tolerancia, compasión, una sonrisa, un abrazo.

Ahora bien, es importante entender otro elemento del dar y recibir: si doy inhabilitando, no estoy dando, estoy quitando, lo cual genera resentimiento como respuesta.

Raquel comentaba desesperada que su hijo no tenía ilusiones ni deseaba hacer nada excepto dormir y comer. Había abandonado la escuela, exigía en la casa que le tuvieran comida y ni siquiera ayudaba en los quehaceres del hogar. El joven tenía 20 años. Raquel explicó que desde que su hijo era pequeño ella se había asegurado que no le faltara nada. Como no quería que sufriera "como ella había sufrido", le compraba todo lo que él deseaba, lo dejaba hacer lo que él quisiera, sus deseos eran órdenes para ella. Le escogía su ropa, sus juguetes, sus amigos. En otras palabras, vivía por él. Raquel no entendía por qué su hijo estaba tan dolido y tenía tanta rabia hacia ella después de todo lo que le había dado.

El problema fue precisamente ese. Al darle y hacerle todo, el mensaje que ella le envió a su hijo a nivel profundo espiritual fue: "Pobrecito, eres tan débil que necesito protegerte, no confío en ti, no puedes hacer las cosas y por eso las hago por ti". Para su hijo, a nivel consciente, fue cómodo y se acostumbró a recibir todo, pero internamente se resintió.

Incluso cuando Raquel sentía que le estaba dando a su hijo, en realidad le estaba quitando. Le quitó la oportunidad de crecer, aprender, desarrollarse y confiar en sí mismo. Al no permitirle equivocarse evitó también que aprendiera.

Piensa cuántas veces quitas cuando crees que estás dando. Dar inhabilitando es quitar.

Maraña:
Digo lo que siento

Cambio:
Pienso lo que digo

Si la gente realmente pensara lo que dice, el mundo se quedaría mudo. Las palabras

que utilizamos día a día, ya sea hablando, cantando, escribiendo o conversando con nosotros mismos, provienen de las ideas que se generan en la mente. Salen de nuestro interior. Es absurdo que alguien diga: "No quise decir eso, se me salió". Si salió de tu boca es porque estaba dentro. Sobran las excusas.

Hay quienes justifican su falta de tacto y sensibilidad al decir: "Es que soy sincero, nunca he sido hipócrita y digo lo que siento". Esas personas realmente no piensan lo que dicen, sueltan todo su dolor, rabia, coraje y resentimiento hacia quienes les rodean porque no se aceptan. Viven criticando a los demás, señalando los "defectos" porque no logran ver que el Universo es un espejo y lo que ellos critican es lo mismo que no aceptan de sí mismos. Afirman a todo pulmón frases tajantes cuando en realidad en su mente subconsciente dicen otra cosa, por ejemplo:

Lo que dicen:	Lo que está dentro:
"Me choca la gente chismosa".	"Me encanta el chisme".
"No se puede confiar en nadie".	"No confío ni en mí mismo (a)".
"La gente tiene doble cara".	"Yo no soy sincero (a)".
"Es un presumido".	"Me siento inferior".
"No me escuchan".	"No sé escuchar".
"Es muy caro".	"No me lo merezco".

Si lo que vemos en otras personas nos incomoda, este hecho puede tener dos significados:

1. Es una de las debilidades que tengo, no lo acepto y lo critico en los demás.

2. Es una cualidad que me gustaría tener y la envidio en el otro.

Rosa asistió al seminario de *El desafío*. Llegó con una actitud negativa, arrogante y de confrontación, asegurando que ella estaba bien y su marido, sus hijos e incluso sus amigas, estaban mal. Y venía decidida a confirmarlo. Su lenguaje era bastante despectivo hacia todo lo que le incomodaba. Inmediatamente detectamos su dolor y rabia. A pesar de que transcurrían las dinámicas, ella seguía aferrada a tener la razón, hasta que en cierto momento habló —por primera vez— de una situación en la que fue víctima de abuso sexual, siendo muy pequeña. Entonces surgió la verdadera Rosa, una mujer sensible, cariñosa, dulce, que se había puesto una máscara de dureza a través de la interpretación que hizo de los hechos.

Ella se había jurado que nadie más iba a tocarla. Jamás iba a permitir que un hombre se acercara con "malas intenciones". A eso se debía que ella los apartara de su vida con palabras altisonantes e incluso con golpes, incluido al hombre que más tarde se convirtió en su marido. Rosa veía los defectos en todos los que la rodeaban porque no se quería a sí misma. No lograba ver el maravilloso ser humano que se había escondido en su interior por temor a ser lastimada. Su decisión fue lanzar la primera piedra antes de ser golpeada —y lo hacía bastante bien—. Lanzaba piedras con catapultas para sacar la rabia contenida, lo que estaba destruyendo su vida y la de su familia. Rosa continuó el trabajo de desarrollo personal y todavía sigue aprendiendo. Sus cambios han sido enormes a pesar de que aún tiene marañas por desenredar y se aferra a ellas para justificarse —o mejor dicho, excusarse— por no avanzar. Lo importante es que ahora logra reconocer el problema y aplicar algunas de las herramientas para arreglar la situación.

El lenguaje transforma las ideas en materia. Las palabras construyen pero también pueden destruir. Y una de las formas más comunes de no asumir responsabilidad por las acciones viene de la mano de una palabra de uso común con la que se evaden los compromisos.

Utilizamos el pronombre indefinido "uno" para significar a la primera persona del singular (yo). Sin embargo ese "uno" también se usa para generalizar. De esta forma no hay nadie que en realidad asuma el liderazgo. Escuchamos con mucha frecuencia expresiones como:

"Pues ya ve como es uno".

"Es que uno no entiende".

"Si uno hiciera tal o cual cosa".

Pero cuando se cambia la palabra "uno" por "yo", hay una diferencia abismal en la interpretación, pues ahora sí existe un peso de responsabilidad –que muchos se niegan a aceptar. Es diferente decir:

"Ya ve como soy yo".

"Yo no entiendo".

"Si yo hiciera tal cosa".

Con cambios en el lenguaje se transforman las acciones que tienen su origen en una evolución de ideas donde asumimos nuestros compromisos en lugar de aventarlos al aire para ver quién los recoge. *Uno* no es ninguno, *uno* no vino, *uno* se fue, *uno* no existe. *Yo* soy responsable de lo que *yo* digo y de lo que *yo* hago.

¿Qué tal si empiezas cambiando ciertas palabras de tu vocabulario? Verás que pronto tu actitud también va a cambiar ya que hay algunos términos que son limitantes porque dan la oportunidad de evadir.

Otra idea que te compartimos aquí para que la pongas en práctica. Cuando las personas no toman decisiones encuentran un montón de excusas:

"Yo lo iba a hacer *pero*…".

"Estaba a punto de lograrlo *pero*…".

"Si hubiera llegado antes *pero*…".

También se utilizan conjugaciones verbales como hubiera o hubiese, —que en la práctica no llevan a ninguna acción— y luego se le agrega el pero, que es la palabra mágica para justificar los resultados. Después de pero siempre viene una excusa.

Revisa en tu diario vivir cuántas veces repites los *pero* buscando formas de conformarte y justificar la mediocridad.

Otra palabra de uso común es *difícil*:

"La vida es *difícil*".

"Eso es muy *difícil* de hacer".

"Lo he intentado pero es *difícil*".

Hay quienes, además, le agregan el superlativo para ponerle drama: "*Es dificilísimo*".

Recuerda la frase de Henry Ford: "Si crees que puedes o crees que no puedes, tienes toda la razón".

Una de las participantes en el programa de *Liderazgo* fue todavía más allá al repetir constantemente *es imposible*. En su historia de vida descubrimos que fue una frase que le dijeron una y otra vez desde que era niña. Cualquier cosa que ella quería hacer, la madre le decía: "Es imposible, somos muy pobres", "Deja de soñar, eso es imposible".

Sus resultados eran lamentables. Ella creía que era imposible "tener una relación de pareja, imposible criar a sus hijos con amor, imposible ser feliz, porque era tan pobre". Así lo pensaba, así lo creía y así lo aplicaba a su vida.

Otras personas *tratan* de hacer los cambios. Siempre están intentando cambiar y terminan exhaustas de tanto esfuerzo, cuando en realidad ni siquiera se mueven.

Prueba lo siguiente: cierra este libro y luego trata de tomarlo de nuevo, sólo trata, ¿bueno? ¿Qué sucede cuando sólo tratas? Claro, no lo tomas. Sin embargo cuando lo tomas, es que dejaste de tratar y sencillamente actuaste y lo tomaste. Así que deja de tratar, ¡hazlo!

Hay muchas palabras que son limitantes, es decir, que ponen freno a tus acciones tan sólo porque piensas que son reales. Si haces cambios en tu vocabulario estarás dando un gran paso hacia el cambio interior, y por lo tanto al cambio en tus resultados.

Maraña:
Dejé de soñar y creer

Cambio:
Sueño para creer y crear

Nacimos libres de pensamiento y acción, con una enorme capacidad de aprendizaje. ¿Cómo aprendemos? Por lo general a través de los sentidos físicos: gusto, oído, olfato, vista y tacto. Pero existen también facultades intelectuales: memoria, razonamiento, voluntad, intuición e imaginación, las cuales nos muestran un universo infinito de oportunidades de aprendizaje.

Cuando somos niños dejamos volar la imaginación con asombrosa facilidad y somos capaces de crear historias fantásticas con personajes increíbles. Imaginamos que tenemos facultades para volar, convertirnos en gigantes, tener súperpoderes. Ha habido pequeños que se han lanzado de azoteas con una toalla o sábana atada al cuello porque estaban convencidos de poder volar. Después del golpazo empezaron a dejar de creer. Sin embargo hay quienes, ya adultos, siguen imaginando y creando para beneficio de la humanidad.

Los hermanos Wright, pioneros de la aviación estadounidense, demostraron al mundo que era posible elevar una máquina más pesada que el aire la cual llevaría al ser humano a la conquista del cielo. Gracias a su imaginación, sus habilidades mecánicas, su perseverancia —y a pesar de las numerosas burlas e intentos fallidos—, Orville y Wilbur hicieron realidad su sueño.

Sin embargo son más las personas que dejan de soñar porque se creen aquello de que "Soñar es para ricos", "Sólo los tontos sueñan", "Deja de soñar y ponte a trabajar ¡sé realista que la vida es cruel!".

Los grandes innovadores han hecho de lado ese cuento y han usado su imaginación para crear. Muchos inversionistas se rieron de Walt Disney. Algunos realmente creían que había enloquecido cuando hablaba de crear un parque de diversiones que incluyera una ciudad del futuro, pero al ver terminado el monorriel, los mismos que reían se quedaron mudos. Disney decía: "No duermas para descansar, duerme para soñar porque los sueños están para cumplirse".

Durante una de las dinámicas que acostumbramos realizar les pedimos a los participantes que cierren los ojos y se den la oportunidad de verse a sí mismos a los 5 años de edad, que recuerden sus juegos infantiles, si tenían juguetes o si lo más importante era el juego. Entonces algunos comparten el recuerdo de cuando los rizadores o tubos del pelo de mamá se convertían en trencitos, las tapas o "corcho latas" de los envases de refresco eran pistas de carreras, ruedas para carritos de cartón, pirámides, monedas de oro y otras cosas más. Una sábana o toalla se transformaba ya fuera en una casita para jugar con las muñecas o en una alfombra mágica; quizá también en una capa para volar y hacer viajes interplanetarios, posarse y caminar sobre la Luna, pasar por los anillos de Saturno y dar vuelta al enorme Júpiter, además de explorar nuevas galaxias.

Al poner en práctica esta dinámica, algunos se hallan a sí mismos en medio del dolor, recordando historias donde la tristeza es profunda. Otros aseguran que no recuerdan nada, que la memoria no les alcanza o más bien que decidieron olvidar porque hay sucesos dolorosos que la mente bloquea pero sin embargo ahí están, encerrados en la bóveda del baúl de los recuerdos.

Roberto rompió en llanto durante una dinámica. El peso de sus sesenta y tantos años se cimbró ante la declaración que hizo entre lágrimas: "Soy un hombre sin sueños" dijo con la voz entrecortada. "Dejé de soñar hace tantos años que ni siquiera me acuerdo". Tomó una bocanada de aire para continuar. "Siempre me dijeron que dejara las babosadas para otros, que soñar era sólo para los ricos y nosotros éramos muy pobres. ¡Qué tonto fui! Si para soñar no se necesita dinero, apenas ahora me doy cuenta de eso".

A Roberto le dijimos lo mismo que ahora te decimos a ti: vuelve a soñar, echa a volar tu imaginación para que puedas creer y por lo tanto crear tu propio destino y deseches el que otros diseñaron para ti.

Y aunque es posible bloquear los hechos, las emociones se encuentran ahí y saltan en situaciones de estrés, una y otra vez, llegando incluso a crear adicción por esas emociones de rabia, frustración, enojo y resentimiento, resultado de las interpretaciones que se hicieron del pasado. Más adelante hablaremos con detenimiento de este tema.

Por ahora, la invitación es para que te des la oportunidad de volver a ser niño, de recordar esos momentos de alegría donde tenías la dicha de soñar, de creer y de crear. Ya es tiempo que dejes salir a ese pequeño que está dentro de ti. Llegó la hora de que sanes esas heridas del pasado y vivas con intensidad y plenitud. Es el momento de seguir soñando, de imaginar. Ya lo dijo Einstein: "Sólo la imaginación es más importante que el conocimiento". Decide volver a soñar.

Maraña:
Me pongo máscaras para evadir

Cambio:
Me quito las máscaras y decido ser realmente feliz

Todos los días tenemos oportunidades

para aprender, desaprender y reaprender. Cada experiencia es una ocasión para poner a prueba nuestras habilidades. Sin embargo, al presentarse una situación frustrante, la tendencia es adoptar un tipo de conducta para terminar con esa circunstancia que nos parece incómoda. Los mecanismos son automáticos y tienen la finalidad de proteger y aplacar la angustia, tensión o cualquier emoción que se produzca por esa situación.

En la tarea del desarrollo personal es importante darnos la oportunidad de abrir la mente y el corazón a pesar de que eso que tengamos allí dentro no nos agrade. Como el trabajo es mirar dentro de nosotros, y a veces no nos gusta o nos incomoda lo que vemos, empezamos a usar mecanismos de defensa entre los que se encuentra la represión, negación, racionalización, internalización, regresión, desplazamiento y sublimación. No hablaremos con detalles de estos mecanismos, pues no estamos escribiendo un tratado de psicología. Nuestro objetivo es compartir los aprendizajes de manera ágil, sencilla y eficaz en beneficio de nuestros lectores.

Sucede con frecuencia que el ser humano empieza a poner en práctica algunos de esos mecanismos porque las nuevas ideas le incomodan. Algunas de las reacciones frente a este hecho son las siguientes:

- **Enojo.** Algunas personas hacen berrinche y bloquean toda oportunidad de cambio porque están molestas, según ellas, con las nuevas ideas, pero pronto caen en cuenta que el enojo es con ellas mismas.

- **Llanto.** Hay quienes lloran para causar lástima porque sus historias de vida son "tan duras" que nadie las entiende; lloran como víctimas de las circunstancias y usan el llanto para que los demás los consideren. Es una buena excusa para dejar de hacer lo que se tiene que hacer. Cabe hacer notar que el llanto tiene otra importante función que es la de limpiar y sanar. Los varones particularmente deben darse la oportunidad de llorar para remover esa maraña de que "los hombres no lloran porque si lo hacen son niñas o maricones".

- **Represión.** Otros se guardan las emociones por temor a sentirse vulnerables, a que los juzguen. Se colocan máscaras de dureza e insensibilidad.

- **Risa.** Es una forma aparentemente divertida de evasión, más aún cuando se torna en burla, se cuentan chistes y se inventan historias para ridiculizar a los demás y evitar que ellos descubran lo que hay dentro de ti.

- **Aislamiento.** Muchos buscan separar el recuerdo y los sentimientos (afecto, odio) y aparentan no sentir nada. En ocasiones se encierran en un silencio profundo y procuran meterse en un "cajoncito" para que nadie los mire.

- **Ignorar.** No hacen caso de las tareas ni comandos, dejan de prestar atención y asumen posturas corporales de cierre.

- **Juzgar y criticar.** Algunos toman posiciones determinadas desde su propia perspectiva e interpretación, emiten juicios con afirmaciones negativas sobre los demás tomando el control y asumiendo la incompetencia de quienes los rodean.

- **Desplazamiento.** Son personas que conectan el sentimiento que tienen en un momento determinado pero lo proyectan hacia otra persona. Por ejemplo, se enojan con figuras de autoridad como el padre y la madre, y se desquitan contra su familia, su pareja o sus hijos, culpándolos de la situación.

- **Negación.** Hacen a un lado la realidad, como si no existiera, y se inventan historias para compensar el dolor como si en verdad lo que inventan hubiera sucedido.

- **Hablar sin parar.** Encuentran las respuestas para todos los demás, las comparten, les dan consejos y arreglan la vida de otros aunque la suya esté de cabeza.

- **Proyección.** Personas que sienten que los sentimientos o ideas dolorosas son ajenos y no tienen nada que ver con ellas. Entonces apuntan el dedo hacia los demás.

- **Introyección.** Es cuando alguien incorpora subjetivamente rasgos que son característicos de otra persona, siente "empatía" y comparte el dolor ajeno y lo asume como si fuera propio e incluso se enoja por lo que le sucede a la otra persona y la defiende como si fuera su propia historia.

Hay quienes tienen respuestas como ansiedad o depresión y las acompañan con disfunciones biológicas como hambre, falta de apetito, insomnio, dolor de estómago, se rascan continuamente la cabeza, no encuentran forma de estar sentados ni parados, se mueven de un lado a otro. Algunos también van continuamente al baño.

Sebastián se levantaba cada 20 minutos y salía directo a los sanitarios, esperaba ahí un rato y luego volvía al salón. Cuando hablamos de las formas de evasión se dio cuenta que la historia que había contado sobre problemas en los riñones era sólo un pretexto para no ver dentro de sí. Recordó que siendo niño buscaba la forma de evitar los golpes de su padre y no ver las golpizas hacia su madre y hermanos refugiándose en el baño. A partir del momento en que fue consciente de su realidad, las salidas fueron menos frecuentes hasta que llegó el momento en que esperó el receso para salir.

Las formas de evadir la realidad van acompañadas de diferentes posturas corporales, generalmente de cierre: cruzar los brazos y las piernas, meter las manos dentro de los bolsillos del pantalón y poner las piernas debajo de las sillas, entrelazar los dedos, desparramarse en los asientos, —posición de "me vale"—, agachar la cabeza y además usar accesorios como cachuchas, viseras o gorras y vestirse de negro, que aunque es un color elegante también marca una línea divisoria para que los demás no se acerquen mucho. Es un color distante y lúgubre.

Mario es un hombre corpulento que llegó con cara de pocos amigos y se cobijó bajo la capucha de la sudadera manteniendo las manos dentro de los bolsillos; se vestía todo de negro menos los tenis que eran de un rojo brillante. Debajo del rostro ensombrecido se escondía un niño dulce y tierno que tenía mucha rabia. Mario nunca conoció a su padre y vivió en un ambiente de pobreza extrema comiendo en ocasiones de los desperdicios que encontraba en los basureros. Creció con mucha inseguridad, aferrado a las faldas de su madre, quien lo ridiculizaba con frecuencia frente a otros niños porque era la forma en que ella quería que él tomara el camino del bien. Mario se vistió de negro por dos días. Al tercero, en que logró liberarse de pesadas cargas emocionales, apareció vistiendo una camiseta anaranjada, sudadera verde limón y, por supuesto, sus tenis rojo brillante. Se convirtió en el promotor maravilloso que bailaba y sonreía, que además aprendió el valor de dar abrazos con energía, algo que le habían prohibido hacer porque era "sucio" e "indecente" que haría que "pensaran mal de él".

Mario aprendió a asumir la responsabilidad de sus acciones, cambió su vocabulario, empezó a decir "te quiero" a sus hijos, se reintegró a su familia y decidió tomar la iniciativa en lugar de esperar a que le dijeran lo que tenía que hacer. Dejó de aislarse y cambió su vestuario por los colores que realmente le gustaban y le hacían sentir bien. Además dejó de usar mecanismos de defensa y se abrió a la oportunidad del cambio. Algunos de su grupo detectaron sus mecanismos y le decían lo que debería hacer.

Es interesante que otros sean capaces de ver cuando alguien se está evadiendo y no así la persona que pasa por la situación. La tendencia es decir: "¿Cómo es que no se da cuenta?", "No se fija en lo que hace y lo que le están diciendo es la verdad".

Existe la tentación de hablar por los demás. De hecho hay quienes tienen la solución del problema del vecino aunque no resuelven el propio. Claro, no hablamos de ti, tú eres diferente y quizá eres de los que, cuando le dicen que hay un seminario durante el cual vas a trabajar en ti mismo para mejorar como persona, dices algo así como: "Yo estoy bien, yo no necesito eso. Mi esposa, hijo, amigo o hermano, es quien lo necesita" "Eso es para locos y yo no estoy loco", "Yo puedo hacerlo solo", "Estoy bien así como estoy. ¿Por qué habría de cambiar?".

Si respondes con honestidad y en forma afirmativa a la pregunta *¿eres completamente feliz?*, continúa haciendo lo que hasta ahora haces y busca más opciones para seguir aprendiendo porque estás en el camino correcto, es un trabajo diario para interiorizar y compartir tu felicidad.

Sin embargo, si la respuesta es lo contrario y dices cosas como: "No se puede ser feliz todo el tiempo", "Sería feliz si tuviera dinero" "Cuando mejore la economía voy a ser feliz", "Yo quiero que mis hijos sean felices aunque yo no lo sea", entonces busca ayuda.

¿Dónde aprenden los hijos a ser felices, a tener relaciones de pareja saludables, a confiar, a ser líderes, a perdonar? Los padres somos el espejo donde ellos se reflejan, aprenden de lo que ven en casa, de lo que escuchan, de lo que sienten. ¿Cuál es la herencia que quieres dejarles?

El primer paso para cambiar es decidir que queremos el cambio. Es como limpiar nuestro clóset. Sabemos que huele mal. Cada vez que nos acercamos, o que alguien abre un poquito la puerta, el olor nos llega pero inmediatamente pretendemos que no huele tan mal o culpamos del mal olor al vecino. Nos convencemos de que es el clóset del vecino el que apesta. Es sólo hasta que tomemos la decisión de limpiarlo, que lo lograremos.

Después necesitamos el valor de enfrentarnos a la realidad. Debemos aceptar que el mal olor viene de nuestro clóset y entonces nos damos a la tarea de revisarlo. En el proceso de revisión queremos cerrar nuevamente la puerta y pretender que no pasa nada; vamos a culpar, juzgar, pelear, negar, evadir, criticar y usar otros mecanismos porque eso es lo que hemos aprendido en el pasado. Pero tú no eres tu pasado, sino las decisiones que tomas en el presente.

Maraña:
La vida me trata mal

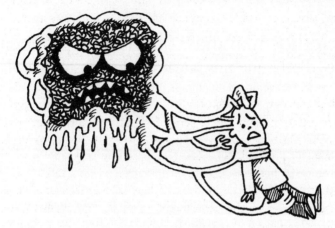

Cambio:
Trato bien a la vida

Tejemos marañas a la menor provocación. Basta que nos salgamos de nuestras casillas para sacar a colación un montón de historias del pasado hechas nudo.

Hay personas que se consideran muy tranquilas y serenas; dicen que viven en paz, sólo que aclaran que si alguien "les saca el tapón", *¡no responden!* porque van a "sacar las uñas" insultar, maldecir y hasta convertirse en hermanas del personaje verde llamado "Hulk".

Estar sereno cuando las aguas son mansas no tiene ningún mérito. Conservar la paz en momentos de estrés, es un reto. Ahí es donde se pone a prueba el temple. Si hay tendencia a explotar es que era sólo cuestión de tiempo porque ya se cocinaba algo en el interior. Si la respuesta ante una aparente provocación es calma y serenidad, entonces realmente la persona tiene paz interior.

En cada acción que desarrollamos se mide el nivel de tolerancia que tenemos, o mejor dicho, la forma en que reaccionamos. Una manera sencilla de medirlo es observando cómo manejas. Imagínate detrás del volante en una esquina esperando el cambio de luz en el semáforo. Estás un poco distraído escuchando música cuando la luz verde aparece y medio segundo después el chofer del auto que va detrás de ti empieza a hacer sonar el claxon varias veces para que avances. Volteas a verlo por el espejo retrovisor y ¿qué haces?

- ¿Sacas la mano por la ventanilla y levantas el dedo medio en señal de ofensa?

- ¿Lo maldices y le recuerdas a su progenitora?

- ¿Te quedas parado a propósito?

- ¿Pisas con fuerza el acelerador para no tenerlo cerca?

- ¿Avanzas tranquilamente a la velocidad indicada sin inmutarte?

- ¿Piensas que esta persona quizá tenga a un familiar en el hospital o que de pronto vaya con mucha prisa porque necesita ir al baño?

¿Cuáles son las historias que anudas en tu mente? Haces marañas con enojo y luego inventas otras excusas para justificar tu mal humor diciendo: "Todo iba bien hasta que un tipejo me sacó el tapón". Bienvenido a tu vida porque la forma en que reaccionas ante situaciones que se salen de control dice mucho de cómo eres en tu vida.

Puedes pasarte buscando culpables a tu alrededor señalando lo que otros te hacen; sin embargo, cada vez que señalas con un dedo, otros tres dedos te están apuntando a ti. Piensa que si te salió es porque estaba dentro. La próxima vez que vayas a manejar recuerda este ejercicio y observa que no sólo salen ideas como las que te compartimos, también salen otras, como por ejemplo el estarte comparando con la "güerita" oxigenada y estirada que está a tu lado en un flamante auto convertible. "De seguro anda con un político o con un narco", o —si eres caballero— "Una de esas quiero para presumirle a mis amigos".

Piensa también en todas las ideas que te vienen a la mente. En una ocasión, mientras Mirna departía en un restaurante junto con su familia, su esposo y la familia política, el mesero se acercó a dejar las bebidas pero perdió el equilibrio. Todas las limonadas y una cerveza cayeron encima de Humberto, su marido. Ante la circunstancia del inesperado baño, de las risas que vinieron enseguida, de quedar helado y empapado, Humberto tenía varias opciones:

- Molestarse y gritarle al mesero por su imprudencia.

- Salirse del lugar para mostrar su molestia –lo que hubiera dado por terminada la cena familiar.

- Exigir una disculpa y pedir que no se cobrara ni un centavo por la cena de diez personas.

- Hablar con el gerente y enfatizar la ineptitud del mesero.

La decisión de Humberto fue quedarse, a pesar de…

…Estar empapado desde la espalda al pantalón.

…Quedar oliendo a cerveza y limonada.

…El baño frío con los hielos.

…Las risas y asombro de los asistentes.

…Las bromas que vinieron después.

Se secó con una toalla y entre bromas pidió de nuevo su bebida. La velada transcurrió agradablemente.

Hemos visto cómo algunas personas se alteran porque el mesero les sirve el platillo equivocado o cuando el filete no está en el punto de cocimiento exacto. Muchos comensales asumen actitudes de prepotencia, como si el mundo les debiera, y critican ácidamente el servicio —otros lo hacen a propósito para no pagar la cuenta, pero esa es otra historia. La forma de reaccionar ante una situación inesperada habla del estado de paz interior, una de las múltiples razones por las que Mirna ama y admira a su esposo.

Pon en práctica otro ejercicio:

Imagina que estás en un salón de conferencias con veinte compañeros de trabajo y el expositor pide que tomen una hoja en blanco y tengan a la mano una pluma o bolígrafo. Enseguida les dice que tienen 2 minutos para escribir su nombre el mayor número de veces. Luego el expositor empieza a contar en forma regresiva y en voz alta.

¿Qué haces? Te preguntas si ¿era con los dos nombres y apellidos, o sólo un nombre? ¿Empiezas a escribir rápidamente tratando de ganarle a tus compañeros? ¿Vuelves tu mirada para ver la hoja de alguno de ellos viendo la forma en que lo hacen para copiar ideas? ¿Tienes dudas pero prefieres quedarte callado por temor a que se burlen de ti porque eres el único que no entendió las instrucciones? El tiempo sigue corriendo y queda sólo un minuto. ¿Continúas escribiendo igual en todas las líneas? ¿Sigues un patrón o haces cambios en la forma en que escribes?

Sientes que se trata de una competencia, no sólo contra reloj, sino contra tus compañeros de trabajo, por eso hay que demostrar que eres el mejor, vas a terminar en primer lugar y así vas a confirmarles que eres eficiente y te ganarás el respeto de los demás; o crees que no tiene ningún sentido apresurarse si de todas formas nunca ganas nada, sólo haces lo que te corresponde, al fin de cuentas nadie reconoce tu esfuerzo.

Piensa cuáles son las ideas que inundan tu mente a partir de una sencilla instrucción porque la forma en que reaccionas a esa idea es sólo un reflejo de lo que haces cotidianamente. Analiza si esas ideas contribuyen a construir un presente satisfactorio y alegre en tu vida, o si por el contrario impactan negativamente tus resultados. La decisión de cambiar siempre está dentro de ti.

Maraña:
Estoy estancado

Cambio:
Estoy en constante cambio

Cuando saludas a los demás y les preguntas: "¿Cómo estás?", muchos responden:

"Igual", "Nada diferente", "Ahí pasándola", "Todo es lo mismo", "Igualito de mal que ayer". En realidad es imposible estar igual pues cada día cambiamos, el Universo está en constante cambio y nosotros, como parte del Universo, cambiamos también.

En la vida sólo hay dos opciones: vamos para adelante o vamos para atrás. El "*statu quo*" —estado de las cosas en un determinado momento— es una ilusión, es una mentira, no existe. El Universo se mueve todo el tiempo, es dinámico. Si dices "igual", en realidad lo que sucede es que vas para atrás y no te has dado cuenta. Posiblemente estás un poco más frustrado, más enojado, más triste.

¿Qué está pasando contigo? Si no estás tomando riesgos, no estás aprendiendo y por lo tanto, vas hacia atrás. Si día a día haces lo mismo, de la misma forma, con la misma energía, significa que dejaste de crecer, de equivocarte y por lo tanto, de aprender. Si no avanzas, retrocedes. Cuando sientes que estás muy cómodo, estás en un sitio bien peligroso. La comodidad es tal vez una de las condiciones más peligrosas que existen.

Raúl hablaba con nosotras sobre lo cómodo que se sentía: "Todo está bien. Esto es igual. Me levanto a la misma hora, voy a trabajar, sé exactamente qué esperan de mí en el trabajo y sé cómo hacerlo porque es lo mismo todos los días. Regreso a casa y mis hijos, como siempre, en su rutina. Parece que nada cambia en mi vida, todo es igual".

Le preguntamos si estaba seguro de que todo era igual y le aclaramos que si no estaba avanzando quería decir que iba retrocediendo. Su respuesta fue corta y directa: "Así estoy bien, no creo que sea necesario hacer algo diferente".

Unos meses después regresó preocupado y nos comentó que estaba teniendo graves dificultades con sus hijos. Según él, todo iba perfecto y de pronto surgieron los problemas. Al evaluar la situación se dio cuenta que en sus hijos se registraban cambios y él no había querido aceptarlo. Era más cómodo pensar que todo iba bien. Él había ignorado los síntomas y mientras aseguraba que todo estaba igual, en realidad su relación familiar se deterioraba.

Con frecuencia se ve esta situación en las parejas. Marcela no podía salir de su asombro porque su esposo le había pedido el divorcio. Le explicó que se había enamorado de otra. Marcela insistía en el hecho de que su relación estaba bien, que todo era igual, no había cambiado nada entre ellos y llevaban varios años juntos. En realidad la comunicación entre los dos se fue deteriorando poco a poco. Lo que ella veía como "igual" era su negación a aceptar que iban hacia atrás.

Avanzamos o retrocedemos. La forma más rápida de retroceder es pretender que todo está igual. Retrocedemos cuando dejamos de tomar riesgos, de vivir como deseamos o cuando insistimos en que los demás vivan como nosotros queremos vivir; cuando queremos controlar a los demás; cuando dejamos de aprender; cuando permitimos que el miedo nos controle; cuando vivimos en el pasado o en el futuro ignorando el presente.

Dejamos de avanzar si estamos llenos de odio, rabia, resentimiento, dolor, tristeza, coraje, pues es una carga muy pesada que nos impide movernos.

Empezamos a avanzar cuando nos arriesgamos, nos equivocamos y aprendemos de esos errores; cuando vivimos como queremos y tenemos fe en Dios, en nosotros mismos y en los demás. Seguimos avanzando cuando decidimos tomar control de nuestra vida, ser responsables. Y definitivamente avanzamos a pasos agigantados cuando perdonamos. Al soltar el odio, el miedo, la ignorancia, el coraje y la tristeza, nos sentimos livianos y avanzamos con rapidez.

Para avanzar es importante vivir en el presente. Aprendemos del pasado y tenemos expectativas para el futuro, sin embargo vivimos de verdad sólo en el presente. Usa las experiencias del pasado como aprendizaje y enfócate en el presente para ir diseñando el futuro que deseas.

¿Qué sucede si dejas una fruta encima de la mesa de tu cocina por varios días? Dependiendo del clima, se seca completamente o se pudre. De todas formas se deteriora. ¿Qué pasa con tus músculos si no los ejercitas? Pierden tono, fuerza, flexibilidad y se atrofian.

Si no tomas decisiones y permites que los demás decidan por ti, te deprimes, te frustras, te deterioras, retrocedes. ¿Quieres seguir aprendiendo para avanzar? ¿O ya metiste reversa en tu vida? Tienes el volante, el control del vehículo que te lleva a donde quieras llegar. Decide.

Maraña:
Te estoy oyendo

Cambio:
Te escucho con atención

Las principales quejas entre padres e hijos, entre parejas y en las empresas, se dan por-

que existen problemas de comunicación. Comunicarse es un proceso sencillo: el emisor envía un mensaje a través de un canal y llega a un receptor. Fácil, ¿no?

Los problemas se presentan en la *forma* en que nos comunicamos. Cabe recordar que el emisor —quien origina el mensaje— tiene sus propios valores, marcos de referencia, interpretaciones, historia de vida, etc. Él "supone" que está enviando el mensaje con claridad, nitidez y precisión, razón por la que el interlocutor lo *debe* entender correctamente.

Durante el proceso se producen también otros factores, como *ruido*, tanto en el medio como en el canal de transmisión, y si a esto le sumas que el receptor también tiene sus propios valores, marcos de referencia, interpretaciones, historia de vida, etc., los resultados no van a ser muy alentadores.

El ejemplo mas sencillo es el juego del teléfono descompuesto, donde se pasa un mensaje directamente en el oído de un participante, que a su vez lo compartirá con otra persona, y esta con otra y así sucesivamente. Cuando la última persona que recibe el mensaje y lo expresa en voz alta, se comprueba que no se parece al original, pues cada quien le agrega o le quita según su propia percepción e interpretación.

Además hay que tomar en cuenta que *oír* no es lo mismo que *escuchar*. Cuando se escucha, se presta atención. Es frecuente escuchar la queja de los jóvenes que dicen que sus padres no los entienden. Usualmente la mamá no para de lavar los trastes, barrer, trapear, cocinar, mientras su hijo desea comunicarle sus dudas y deseos o simplemente compartir con ella algún suceso del día. Si el joven le dice: "No me estás poniendo atención", la madre responde: "Tengo muchos pendientes y claro que sí, sigue hablando".

Lo mismo sucede cuando el papá se apodera del control remoto del televisor. Los hijos le quieren contar algo mientras la vista del padre no se despega de la pantalla —menos si se trata de un encuentro deportivo—. Luego, tanto el papá como la mamá se quejan de que sus hijos no los toman en cuenta. En realidad, al no concentrar la atención, los padres oyen sólo parte de lo que sus hijos les están queriendo comunicar y más tarde se molestan porque ellos no dejan de ver la tele, jugar en el computador y con los videojuegos mientras papá y mamá están tratando de hablarles.

Las mujeres tienen quejas parecidas con respecto a sus esposos: "Quiere más a la tele que a mí", "A mí no me toca como al control remoto", "Sólo le pone atención al televisor, ¿cómo me va a escuchar?".

¿Te has puesto a pensar alguna vez en cómo escuchas? ¿Realmente lo haces? ¿O das la apariencia de estar escuchando? En términos sencillos podemos decir que hay tres formas usuales en que la gente escucha:

1. Estando de acuerdo con...

¿Recuerdas alguna ocasión en la que alguien te está contando alguna historia y automáticamente te acuerdas de algo muy similar y antes que tu interlocutor termine de contar lo interrumpes cada vez que puedes para compartirle también tu historia? ¿Qué ocurre entonces? Obviamente tu interlocutor aprovecha cualquier respiro tuyo para continuar con la suya y esta conversación —si así podemos llamarla— continúa así por horas: los dos hablan y ninguno escucha al otro. Cada uno está concentrado en su propia historia.

2. Estando en desacuerdo con...

Esta forma de escuchar es muy frecuente entre adolescentes y sus padres o entre parejas. Mientras la persona está hablando, su interlocutor está armando el argumento mentalmente para demostrarle al otro que está equivocado y tan pronto tiene la oportunidad comienza a defenderse. Cada uno se enfoca en probar que está en lo correcto y que el otro está equivocado.

Usualmente no se le permite al interlocutor ni terminar la frase para contraatacar. En las parejas sucede con frecuencia. Uno de ellos está hablando y tan pronto cierra la boca, o incluso antes, el otro empieza a exponer todos sus argumentos.

Por su parte, los jóvenes están listos para probar que sus padres son anticuados y viceversa. Como resultado todos terminan molestos y la brecha generacional se abre cada vez más.

En estas dos formas de escuchar la conversación se convierte en dos monólogos que ocurren simultáneamente. Ninguno de los interlocutores está realmente escuchando al otro y por consiguiente no hay comunicación.

3.   Estando con…

Es la forma de escuchar que permite una verdadera comunicación.   Simplemente estando con la persona. ¿Cómo sabes que alguien realmente está contigo escuchándote? ¿Cuáles son las señales que te da un buen interlocutor para saber que te está escuchando? Establece contacto visual, te mira a los ojos y mantiene una posición corporal abierta, es decir, brazos descruzados, manos libres y el cuerpo acercándose hacia ti —sin invadir tu espacio vital—. Son señales claras de que el interlocutor está atento y enfocado a escucharte. Imagina por un momento los cambios que habría en tus relaciones personales si con frecuencia escucharas de esta forma.

Gabriel y Encarnación llegaron a uno de nuestros talleres y se quedaron al final para hablar con nosotras. Gabriel nos explicaba que su mujer no hablaba, no se expresaba. Mientras, ella lloraba en silencio, siempre con la cabeza gacha. Su pareja hablaba y hablaba de su mujer. Entonces lo dejamos que se desahogara y luego le dijimos entre risas: "Con razón tu esposa no habla, ¿cómo lo va a hacer si no te callas? ¿Puedes guardar unos minutos de silencio, para permitirle a ella que se exprese?". Gabriel nos miró sorprendido y se calló.

Poco a poco Encarnación expresó que se sentía intimidada, pues cada vez que quería decir algo él la interrumpía. Incluso recibía insultos por hablar en volumen bajo y no coordinar lo que iba a decir. Estaba tan asustada que no alcanzaba a articular palabra, por lo que decidió que era mejor no hablar para evitar discusiones. Ambos empezaron a hacer trabajo de desarrollo personal a través de los programas que impartimos y hoy Encarnación ha encontrado su voz y su esposo ha aprendido a escuchar.

Poco a poco se van destruyendo las relaciones por falta de comunicación, por no escuchar con el corazón y con la mente. Si aprendemos a escuchar sin criticar, sin juzgar, sin sentirnos ofendidos, sin tomar todo como ofensa o ataque personal, lograremos tener relaciones verdaderamente extraordinarias.

Seguramente que muchas veces te has encontrado en una situación en la que tu hijo, tu pareja o un amigo, insisten en que te dijeron algo y estás convencido de que nunca sucedió. O sencillamente que no te acuerdas. La realidad es que no te acuerdas porque nunca lo escuchaste. Estabas tan ocupado esperando tu turno para hablar que las palabras de tu interlocutor se convirtieron en un ligero murmullo.

Frecuentemente la gente dice: "Es que tengo mala memoria para los nombres, me acaban de presentar a alguien y no me acuerdo cómo se llama". La situación real es que no escuchaste el nombre pues estabas esperando tu turno para decir el tuyo. Si escucharas con atención entonces recordarías.

Practica escuchar en el nivel 3 a tu pareja, a tus hijos y amigos. Cuando alguien te diga: "Quiero platicar algo contigo", deja lo que estás haciendo para mirar a esa persona a los ojos y escúchala. Hazle preguntas sobre lo que te está contando y evita contarle tu propia historia en ese momento. Si tu pareja o hijos quieren conversar contigo, muéstrales lo importante que son ellos para ti. Apaga el televisor, la computadora, el celular, ubícate en una posición que envíe el mensaje de "te escucho, estoy contigo, me interesa lo que quieres compartir conmigo". Si lo aplicas, confirmarás que tus resultados cambian.

Comunicarse desde el corazón es natural pero no normal. El niño dice todo lo que piensa y siente y no se preocupa si alguien se incomoda o se ofende por lo que él tiene que decir. Es honesto, sincero, espontáneo.

Martha recibió una invitación a cenar en casa de unos amigos y decidió llevarse a su hermanito. La cena estaba deliciosa, todo iba muy bien hasta que al terminar la comida Martha volteó hacia el niño y le dijo: "¿Cómo se dice?". Él rápidamente y en voz alta respondió: "Me quedé con hambre". Martha se sintió tremendamente avergonzada. Ella esperaba que su hermano dijera "gracias". La dueña de la casa rápidamente solucionó la situación trayéndole al niño otro plato de comida. Sin embargo en el camino a casa ella lo regañó y le señaló lo inapropiado de su comentario. Él seguía sin entender. "Tenía hambre", insistió. ¿Se suponía que debía decir una mentira?

Durante el período de "domesticación" nos enseñan a dejar de ser naturales para entrar en el mundo de lo normal. Don Miguel Ruíz afirma que llega un momento en que estamos tan domesticados que no necesitamos a nadie más que nos domestique porque nos convertimos en nuestro propio domador y nos autodomesticamos según el sistema de creencias que nos transmitieron utilizando el refuerzo de castigo y recompensa. Después lo heredamos a nuestros hijos sin ningún cuestionamiento porque así nos enseñaron, aunque estemos en desacuerdo o tengamos dudas.

Durante un taller en una escuela primaria, al compartir estas ideas sobre la domesticación y programación mental, una madre de familia comentó que un día su hijo de 5 años quebró un vaso. Antes que ella reaccionara, el pequeño le acercó el cinto al tiempo que le decía: "Aquí está, pégame porque esa es la única forma en que yo aprendo".

Aprendemos desde nuestra infancia que lo normal es lo que la mayoría de la gente hace, no importa que no tenga razón ni sentido y que viole los valores esenciales. Es normal criticar, juzgar, señalar, golpear, insultar, ignorar, tener monólogos diarios con nuestros seres queridos, pretender que los escuchamos cuando en realidad todo lo que estamos haciendo es esperar nuestro turno para hablar. Es normal juzgar la opinión de los demás e insistir que la nuestra es la única que vale. Es normal fingir nuestras emociones y ofendernos cuando los demás expresan las de ellos.

Comunicarnos desde el corazón con la verdad es natural. Lo olvidamos a medida que crecemos. Construimos una muralla a nuestro alrededor y empezamos a olvidarnos de quiénes somos y qué es lo que realmente sentimos. La mayoría de la gente tiene relaciones superficiales, hablan de todo el mundo, pero no expresan lo que realmente sienten. Basan sus comentarios en estereotipos que se han creado mentalmente, justifican y defienden sus posturas ¡porque son suyas!

Con frecuencia llegan a nuestra oficina personas que nos cuentan las dificultades que enfrentan con sus socios comerciales. Están a punto de dividirse y tomar su camino porque cada quien se empeña en decir que está haciendo lo correcto.

Juan llegó buscando apoyo para mejorar la relación con su esposa y al poco tiempo nos comentó que estaba por disolver también la sociedad de su negocio. Aseguró que ponía el 100% en el trabajo, que hacía su parte. Durante la conversación nos dijo que estaba buscando un trabajo de medio tiempo porque no le alcanzaba con lo que ganaba en su empresa. ¿Estás seguro de que das el 100%? Le cuestionamos, y volvió a afirmar que sí —ni siquiera matemáticamente le salían las cuentas—. Estaba molesto porque su socio tenía otro empleo y por lo tanto un salario asegurado y él no, así que no era "justo" como llevaban la sociedad. A cualquier pregunta que le hacíamos, le ponía un pretexto, una excusa para no enfrentar el hecho de que estaba listo para defenderse, hablaba *estando en desacuerdo con…* Y en ese nivel de comunicación es muy complicado llegar a un entendimiento. Lo interesante es que lo mismo le pasaba en su relación de pareja. Por eso estaba a punto del divorcio.

Las relaciones duraderas se desarrollan si las dos personas están dispuestas a quitarse la careta y abrir su corazón, si se arriesgan.

La primera vez que nosotras (las autoras) tuvimos una conversación telefónica, la sensación que quedó fue de calidez. Es fácil sentir a un ser humano auténtico. Hablamos en varias ocasiones y un par de meses después tuvimos la oportunidad de empezar la sociedad a la que bautizamos como *Avante Seminars: Entrenamiento para la vida*. Fue en Julio del 2008 y para Agosto del mismo año ya estábamos ofreciendo el primer seminario, el cual duró cuatro días.

Varias personas nos preguntaron cuánto tiempo llevábamos con la sociedad y se mostraron altamente sorprendidas cuando les contestamos que era el primer seminario en sociedad y que nos habíamos conocido apenas unos cuantos meses atrás. "Parece que se conocieran desde hace muchos años", comentaban. Así nos sentíamos también nosotras, como si nos conociéramos desde hacía mucho tiempo.

El éxito en nuestra relación de trabajo —que impactó también nuestro desarrollo emocional— es que por encima de ser socias, somos amigas y ponemos en práctica *escuchar estando con…*, conectando la mente con el corazón; aún cuando tenemos desacuerdos, nos escuchamos mutuamente en el nivel 3, sin criticar ni juzgar, entendiendo que somos diferentes y como es obvio, también procesamos las ideas de maneras distintas. Siempre procuramos escuchar sin hablar, además reímos mucho, lo que le da sazón a la relación de amistad y trabajo.

Maraña:

Qué tonto soy

Cambio:

Me siento orgulloso

Algunas personas están tan acostumbradas a ver el lado negativo, que les es muy fácil juzgar a los demás. No se dan cuenta que al hacerlo se juzgan a sí mismas porque el Universo es un espejo y nos devuelve todo lo que enviamos.

Cuando no reconocemos las virtudes y bondades de quienes nos rodean es porque no hemos logrado aceptarnos como los seres maravillosos que somos. Lo que no nos gusta en los demás tampoco nos gusta en nosotros mismos, sólo proyectamos la incomodidad hacia otros porque cuesta trabajo reconocer los errores propios.

Karen, una de las jóvenes que participó en varios de nuestros programas de desarrollo personal, comentó durante una de las reuniones que ella no sabía que el "chisme" era malo simplemente porque en su casa todos hablaban de los demás y por supuesto los criticaban, juzgaban y enjuiciaban. Para ella era normal esa situación porque había crecido en un hogar donde el chisme era parte de la convivencia familiar.

Fue además muy interesante comprobar el hecho de que a ella le molestaban sobremanera las personas criticonas y chismosas. Era tanto su desagrado que se peleaba con ellas, les contestaba tajante y era bastante intolerante en situaciones donde se hablaba mal de quienes ella apreciaba. Sin embargo no se movía del lugar porque ahí se enteraba de cosas que en otra parte no escucharía. Además aprovechaba esos momentos para criticar e incluso imitar movimientos corporales y burlarse de otros.

Karen no se había dado cuenta que las otras personas eran su reflejo. Eso que a ella tanto le molestaba de los demás era lo mismo que ella hacía, aunque no se viera a sí misma. Es decir: Karen no era consciente de sus acciones, sólo las distinguía en los demás.

Para algunos es más sencillo juzgar porque no se aceptan. Es más fácil detectar un "defecto" que una cualidad. Están tan acostumbrados a hacerlo que les cuesta trabajo pensar en algo bueno de los demás y de sí mismos. Y la razón principal de este comportamiento es que no saben perdonar ni se han perdonado. El hábito de recibir malos tratos se ha arraigado tanto que incluso se maltratan a sí mismos en voz alta: "Mira qué mensa soy", "Qué bruto, me volví a equivocar. Si estaré tonto", "Ando como estúpido", "Cada vez me ataranto más, ya me lo decía mi madre", "A lo mejor necesito unos trancazos, para ver si así aprendo" y otras frases más subidas de tono que son las mismas que otros les han repetido una y otra vez, por eso las repiten, las aceptan, las creen y actúan en consecuencia. A eso se debe que les cueste tanto trabajo reconocer las cualidades, pues sólo distinguen los defectos en ellos mismos y en los demás.

Isabel es una amiga cercana nuestra que se encontraba muy consternada cuando le avisaron que su exmarido estaba en situación crítica en el hospital, en fase terminal. Aunque se habían divorciado —de forma agria— muchos años atrás, tenían dos hijos que ya eran casi adultos. Detectamos mucha confusión en su conversación, aunque platicamos a través del chat en internet. Ella afirmaba que no existía ningún resentimiento, que ya lo había perdonado por todo lo que pasó entre ellos, que ya le había dicho lo que le tenía que decir y que se sentía tranquila. Sin embargo al pedirle que escribiera 10 cualidades de su expareja tardó un par de minutos pensando, luego escribió cinco y ahí paró. "No encuentro más" escribió en el chat. Le pedimos que buscara otras y escribió: "No fue buen padre, ni buen proveedor, ni cariñoso". Le solicitamos que parara pues esas no eran cualidades sino parte del resentimiento que ella tenía hacia él y hacia ella misma por haber soportado una relación de tantos años.

Una de las pruebas más efectivas para saber si verdaderamente has perdonado es que logras hablar de la situación sin dolor y además exaltas las cualidades de la persona o personas que "aparentemente" te ofendieron.

Uno de los primeros pasos que te invitamos a dar es que hagas una lista de 100 cualidades tuyas. Quizá pienses que son demasiadas, que no tienes tantas, que has sufrido mucho, que tu vida ha sido tan dura que sólo tienes amargura y no puedes ver nada bueno dentro de ti. Esto sólo se debe a que la culpa y el resentimiento te impiden ver todos esos momentos en que te has sentido orgulloso de ti mismo.

Ojo, no se trata de que hables de los méritos de tus hijos y tus padres. Se trata de que reconozcas tu grandeza a través de las numerosas ocasiones en que has sentido esa adrenalina recorrer tu cuerpo, esa endorfina que te hace sentir feliz por el valor de tus acciones.

Hoy tienes una gran oportunidad de comenzar a comunicarte con el corazón. Por mucho tiempo has andado con una coraza, pretendiendo ser lo que no eres por miedo a que los demás vean quién realmente eres. Ya es hora de que empieces a dejar salir a esa persona maravillosa que hay dentro tuyo y brilles. Saca la luz que hay en tu interior, ilumina tu vida y ayuda a iluminar el camino de quienes están a tu alrededor.

Al terminar esa lista de 100 cualidades, léelas una y otra vez. Si hay algo dentro de ti que se revuelve, si empiezas a tejer historias y armar marañas de que "no lo soy tanto", "lo fui antes pero ahora no", recuerda que quien debe *creer* que es verdad eres tú. Lo que crean los demás de ti es asunto de ellos. Lo más importante es lo que tú crees de ti mismo. Si crees que eres "tonto, inútil, bueno para nada", el subconsciente —el genio de la lámpara— te dice: *"Tienes toda la razón"*.

Así que ya es hora de que empieces a sentirte orgulloso de ti, de tus metas, de los pequeños y grandes triunfos, de todo lo que has logrado para llegar al sitio en el que ahora estás. Cuando aceptes tu grandeza podrás ver la grandeza en las personas que te rodean porque ellas también han vivido triunfos y fracasos y sienten orgullo por lo que han logrado. Reconoce sus virtudes, honra sus cualidades, exprésalas en voz alta para que el eco de tus palabras resuene en tu interior. Aprecia dentro de ti ese ser maravilloso para que también aprecies el valor que existe en los demás. Ellos son tu reflejo.

Maraña:
Quiero que me entiendan

Cambio:
Quiero entender a los demás

Somos el resultado de las semillas que otros han puesto en nosotros. Es nuestra responsabilidad ayudarlas a germinar para obtener los frutos. Nadie se ha hecho y pulido solo. Aprendemos de cada experiencia y tomamos decisiones a partir de esas experiencias.

El comportamiento humano ha sido evaluado desde múltiples perspectivas. Para efecto del trabajo que desarrollamos en *Avante Seminars* hemos combinado algunas ideas para ayudar a las personas a conocerse a sí mismas, y a conocer a los demás, con el objetivo de mejorar sus relaciones. La forma en que nos comportamos determina en buena medida nuestros resultados. En ello influyen el temperamento y el carácter que definen la personalidad. El temperamento es la manera natural en que un ser humano interactúa con el entorno y puede ser hereditario. El carácter se moldea a través de la inteligencia y la voluntad, además de recibir gran influencia del ambiente.

El primero en sistematizar la idea de temperamento fue el médico griego Hipócrates (460-370 a. C.), quien distinguía cuatro tipos de temperamentos considerados como la emanación del alma por la interrelación de los diferentes humores en el cuerpo:

- Coléricos: cuyo humor se caracteriza por una voluntad fuerte y unos sentimientos impulsivos. En ellos predomina la bilis amarilla y blanca.

- Flemáticos: se demoran en la toma de decisiones, suelen ser apáticos, a veces con mucha sangre fría. La flema es el componente predominante de los humores del cuerpo.

- Sanguíneos: con un humor muy variable, arrebatados y desordenados.

- Melancólicos: tristes y soñadores, que se dejan influenciar fácilmente.

Después de esta primera sistematización se han hecho cambios. Existen diferentes teorías y hoy se han popularizado algunas de ellas.

Aún cuando inicialmente se hizo esta división como tipos de temperamento o personalidad, en la actualidad se acepta que las diferencias son de comportamiento o estado de ánimo más que de personalidad. Son las formas en las cuales reaccionamos o respondemos a las situaciones diarias, especialmente de estrés. Hay quienes se consideran como formales, otros son informales, algunos se dejan influir por otros, son llevaderos, y unos más, son dominantes.

Observa la siguiente gráfica en la que se han dividido las formas de comportamiento en cuatro grandes áreas: controladores, analíticos, promotores y apoyadores.

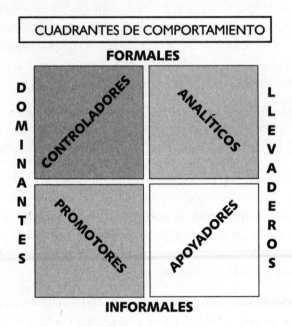

Algunas características de cada grupo son:

- **Controladores.** Dominantes, no escuchan razones, quieren imponer sus decisiones, son individualistas, decididos, audaces, intolerantes e impacientes. Quieren que todo esté en perfecto orden y mandan a otros a que ejecuten sus órdenes bien y rápido, pero si no encuentran a quién ordenar, lo hacen ellos pero se enojan y explotan, gritan y culpan a los demás de los resultados si estos no son satisfactorios. Pero si el resultado es bueno, se quedan con todo el mérito. Son perfeccionistas, no acceden ante nadie, guardan rencor con facilidad, hieren a otros y rara vez se disculpan. No tienen problema con conflictos, necesitan libertad para manejar a otros y a sí mismos; no demuestran sus emociones, son independientes y aparentan ser insensibles; son impacientes, malgeniados, energéticos, ambiciosos, apasionados, eficientes y competitivos.

- **Analíticos.** Llevaderos, seguidores, toman su tiempo, batallan para decidir porque siguen analizando cada detalle; hablan lento y a medio tono; son sencillos, dan muchas explicaciones, se justifican, siguen métodos para realizar sus actividades, no se saltan ningún paso, prefieren ambientes tranquilos donde aprender, se aíslan de la gente. Son hábiles en áreas de análisis y en operaciones numéricas. Guardan sus emociones y son muy sensibles, precavidos y melancólicos; se quedan atrapados en el pasado, —les agradan las canciones "viejitas"—. Les gusta estar en contacto con la naturaleza; son organizados y estructurados, hacen preguntas; tienden a ser pesimistas; altamente creativos en poesía y arte; confían en los datos y estadísticas, prefieren el trabajo intelectual, les gusta estar en lo correcto; son cuidadosos con el tiempo y el dinero, trabajan lentamente y usualmente solos.

- **Promotores.** Dominantes, líderes de fiestas y eventos sociales, intrépidos, decididos, tienen gran tendencia a la aventura, se lanzan sin planeación, dicen que sí a todo lo que suene divertido; jamás analizan, no se toman la vida tan en serio, disfrutan cada momento, son alegres y contagian su alegría. Además alcanzan sus metas —a veces no saben ni cómo lo hicieron— y se alegran. Los motiva el reconocimiento, la aceptación y el contacto con la gente. Usualmente dan buena impresión, verbalizan, motivan, generan entusiasmo, entretienen, les gusta ayudar, participan en grupos y temen perder su influencia. Tienen dificultad en terminar las tareas, rápidamente pierden interés en lo que están haciendo si no es divertido; usualmente llegan tarde, son olvidadizos y sarcásticos a veces.

- **Apoyadores.** Llevaderos, hábiles con las manos, dicen que sí a todo, piensan siempre en grupo, hablan en plural —dicen "nosotros pensamos que…"—. Buscan la comodidad de otros, se preocupan mucho, lloran con facilidad, son hipersensibles, les gusta la música romántica y todo lo que llegue al corazón. No saben decir *no* y entonces guardan resentimiento porque siempre se quedan de últimos. Los apoyadores toman decisiones lentamente, son generosos, altruistas, buscan círculos familiares y sociales, son amigables, prefieren las relaciones cercanas, son buenos para escuchar, evitan el conflicto y aplican la diplomacia; buscan la seguridad, trabajan a un paso regulado, son sensibles con las ideas de otros, son justos y equitativos.

Es importante entender que somos diferentes. Algunos críticos dicen que hablar de cuadrantes de comportamiento es una forma muy simplista de clasificar al ser humano. Por supuesto, existen combinaciones entre los cuadrantes. Es importante evitar encajonar a cada persona en un área solamente pues hay que entender que tenemos características de por lo menos 2 ó 3 cuadrantes y que para comprender al otro es necesario ponerse en sus zapatos, conocer cuáles son sus prioridades y la forma en que consigue sus metas y así lograremos ser empáticos.

La empatía es la facultad de ponernos en el lugar del otro y comprender sus razones para actuar de cierta forma, haciendo de lado nuestras propias razones, valores, convicciones e intenciones; es una habilidad fundamental para las relaciones interpersonales.

Clara y yo somos dominantes. Sin embargo, Clara es promotora/ apoyadora mientras que yo soy controladora/promotora. Lo ideal es aprender a fluctuar en los diferentes cuadrantes según las necesidades, así entendemos y hablamos el idioma de todos.

Ningún cuadrante es mejor o más deseable que otro. Sin embargo todos se complementan en formas diferentes. Si vas a trabajar en equipo es muy buena idea tener representantes de cada cuadrante para que haya balance entre todos.

Imagínate por un momento que vas a realizar un viaje en grupo. Supongamos que está compuesto sólo de promotores. Nadie llevaría instrucciones de cómo llegar al sitio, puede ser que ni siquiera tengan idea de a dónde van. Si en el grupo fueran sólo apoyadores, no cabrían en ningún vehículo porque llevarían a la familia completa —o si no, no van— incluidos el perro, el gato y el perico. Si solamente lo formaran analíticos, tendrían que empezar a programar el viaje con unos cuantos años de anticipación. Ahora, piensa en que todos fueran controladores: cada uno iría por su lado pues no se pondrían de acuerdo.

Muchos problemas en las relaciones de parejas, padres e hijos, hermanos, amigos, socios, podrían evitarse si entendiéramos el hecho de que los seres humanos tenemos diferentes formas de comportamiento. Nos referimos al modo en que actuamos frente a las circunstancias. De niños tomamos decisiones de sobrevivencia, —para algunos esconderse, para otros ser agresivos, o bromistas. No estamos hablando de personalidad.

Tanto Clara como yo estamos casadas con hombres cuyo cuadrante predominante es el analítico. Años atrás no entendíamos por qué nuestros esposos nos pedían una lista para ir al mercado. La sola idea de escribirla nos ponía de mal humor a ambas —las dos somos dominantes—. Otra situación incómoda se presentaba porque ni Clara ni yo sabíamos leer mapas y nuestros maridos, sí —uno es doctor y el otro ingeniero—. Si no había mapa ni detalles de un viaje, ambos se contrariaban, había discusiones y los hijos estaban en medio de la situación. Ahora ambas comprendemos que ellos necesitan detalles y se los proporcionamos. Así vivimos una mejor relación de pareja.

Hay que comprender que ninguno está equivocado o en lo correcto. Dicho de otra forma: ambas partes tienen la razón. Para los analíticos es importante el método; para los dominantes, el método es irritante e incomprensible. Los dos pueden llegar al mismo resultado por caminos diferentes. Es como si se hablaran diferentes idiomas. El asunto es aprender a hablar el idioma de la pareja mientras se conserva el propio. El resultado es mágico.

¿Se puede lograr armonía entre las parejas, familias, comunidades, empresas? ¡Claro! Cuando se entienda que ser diferentes nos da la oportunidad de aprender del otro para aumentar nuestras habilidades. En lugar de esperar a que ellos nos entiendan, empecemos por entenderlos a ellos.

Hay señales que nos brindan información acerca de la forma de ser de quienes nos rodean para ubicarlos en alguno de los cuadrantes de comportamiento, ya sea por su manera de hablar o comunicarse y de acuerdo al lenguaje corporal, uso de colores en su vestuario, decoración en su casa y/o su recámara, entre otros detalles.

A.   Formales dominantes= Controladores= Coléricos

Los controladores se motivan por las tareas y el tiempo; solucionan problemas, aceptan retos, toman decisiones rápidas, cuestionan el *statu quo*; frecuentemente se les percibe como agresivos porque asumen el control y la autoridad; temen que los demás se aprovechen de ellos, les da miedo perder el control y no obtener resultados. Usualmente dominan a los demás, especialmente a los apoyadores. No se dan tiempo para considerar las opiniones de otros, se enfocan mucho en hacer las cosas a "mi manera" y por esto tienen dificultades para llevarse bien con otros. Están orientados a la tarea y quieren resultados inmediatos.

La habitación de un controlador usualmente es la más grande, con ventanas. El controlador es capaz de hacer muchas cosas al mismo tiempo como lavar ropa, revisar su correo, contestar el teléfono y cocinar. Los muebles de la casa contribuyen a dar la impresión de poder y control, y usualmente son los más costosos e increíbles. La casa frecuentemente tiene flores y plantas exóticas, —escogidas cuidadosamente para dar la impresión de poder— pero el controlador nunca las cuida porque tiene a alguien que lo hace por él. Se rodea de fotos de la familia, fotos formales donde muestra a cada miembro en su rol y en los viajes que han hecho.

Si tiene posibilidades financieras, la casa y oficina del controlador están decoradas por un especialista para crear la sensación de poder —y los colores son también poderosos. Todo lleva al mensaje de "directo al negocio, no pierdas tiempo", van al grano, no se andan con rodeos. Se identifican con animales de poder como el león y el águila. Usan colores dominantes como el rojo, negro y dorado. Su postura corporal es generalmente erguida. La figura geométrica que los identifica es el triángulo, casi siempre apuntando hacia arriba.

B. **Formales llevaderos= Analíticos**

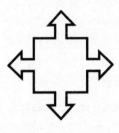 Los motiva la lógica y los detalles, trabajan mejor si conocen cada aspecto del asunto a tratar y usan la diplomacia con la gente; revisan la precisión, critican el trabajo, siguen la autoridad, frecuentemente se les percibe como no-emocionales porque son poco expresivos; temen la crítica y estar equivocados. Usualmente son perfeccionistas, excluyen los sentimientos de las decisiones, son demasiado rígidos y exigentes consigo mismos y con los demás. Tienden a ser aburridos, callados, lentos para tomar decisiones pues necesitan todos los datos. No toman muchos riesgos.

La habitación u oficina de un analítico es sencilla, no necesariamente tiene todo en orden pero sabe donde se encuentra cada cosa, almacena papeles y papeles —por si hacen falta—. Sólo conserva artículos relacionados con lo que hace y le gusta. Es un lugar funcional, sencillo en la decoración, no le agradan las plantas porque asegura que pertenecen a la naturaleza. Por lo general usa lentes, ya que lee bastante. Tiene diplomas colgados de las paredes. Le gustan los colores ligados a la naturaleza como el café, verde oscuro; disfruta de la música variada y de preferencia la de su juventud. El animal que lo representa es el búho y su figura geométrica es un rectángulo o cuadrado.

C. Informales dominantes= Promotores

Los promotores son muy expresivos y espontáneos, buenos motivadores, no se fijan en los detalles porque son muy globales; dinámicos, populares, les gusta involucrarse con la gente, no les gusta estar solos; exageran y generalizan, buscan la armonía, toman decisiones rápidas; son buenos comunicadores, creativos y soñadores. Pueden presentar conductas irracionales, al ser egoístas, indisciplinados y manipuladores.

La habitación de un promotor es, en pocas palabras: un desastre. Le encantan las frases positivas y las tiene pegadas en todas las paredes. Las cosas nunca están en su lugar, sin embargo sabe exactamente donde está cada una y puede encontrar casi todo en cualquier sitio. Los colores que utiliza usualmente son vivos: amarillos, naranja, verde limón; disfruta los brillitos en la ropa y si tiene grabados, mejor. Si hay plantas o flores usualmente están muertas —ya sea porque no tienen agua o muertas de aburrimiento de escucharlo hablar.

El promotor es un soñador con muchas ideas y proyectos pero no se da el tiempo para desarrollarlos. Se identifica con el mono como animal, aunque tienen también la fuerza del tigre y le gusta llamar la atención como el pavo real. Su figura geométrica es un garabato, se la pasa dibujando cosas en papel si está aburrido; no puede quedarse quieto, necesita estar en constante movimiento, su postura corporal cambia cada minuto y es "desparpajado" al sentarse y camina con un balanceo como si estuviera bailando al mismo tiempo. Habla demasiado, le agrada el sentimiento de pertenecer a algo o alguien, es energético y agradable.

D. Informales llevaderos= Apoyadores

Los motiva la estabilidad, la gente; se les percibe como tercos pero pacientes; se concentran en el trabajo, calman a los demás, temen al cambio. No terminan sus cosas pues siempre están ayudando a otros, tienden a ceder a los deseos de los demás. Trabajan bien en equipo, buenos trabajadores, no toman riesgos ni hablan por sí mismos.

La casa o habitación de un apoyador se caracteriza por tener un montón de fotografías de sus seres queridos —incluidas las mascotas— en todas partes; utiliza tonos cálidos en las paredes y cuelga cuadros de paisajes, aves y atardeceres. Hay flores y plantas en pasillos y cuartos. En su vestuario utiliza colores pastel, azules, rosas, amarillos tenues y blancos. Los muebles pueden ser de moda pero no ostentosos. Si visitas su casa siempre tiene comida lista y en abundancia para ofrecerte y no te deja salir sin llevarte algo para el camino. Disfruta cocinar y atender a su familia y amigos; se entristece cuando está solo (a); escucha la música romántica que le llegue al corazón. La figura geométrica que lo identifica es un círculo y el animal insignia es un borrego o un delfín; tiende al contacto físico y por lo general le gusta abrazar y besar.

Es importante que recuerdes el hecho de que se puede tener un poco de cada cuadrante, sin embargo hay uno que es el dominante y los demás van en estructura descendente. Entender esas diferencias nos ayuda a mejorar las relaciones y a establecer formas de comunicación más efectivas, tanto a nivel personal como profesional.

Al querer comunicarnos con los demás, lo hacemos desde nuestro propio marco de referencia, desde lo que nosotros conocemos y creemos, por eso surgen tantas dificultades —traducidas como ruido— en las relaciones. Otro aspecto que hay que tomar en cuenta es que cada quien aprende de formas diferentes.

Hay tres estilos de aprendizaje:

• Visual

Este tipo de persona aprende de lo que percibe a través de la vista, por lo general es organizada y le gusta observar; se preocupa por su aspecto; tiende a reflejar sus emociones en los gestos faciales; le cuesta recordar lo que oye aunque recuerda los rostros de la gente, pero no los nombres. Memoriza fácilmente porque ve las palabras. Tiene una imaginación amplia y construye historias con imágenes mentales.

- Auditivo

Aprende escuchando y presta atención a todos los sonidos, repite en voz alta y mueve los labios, tiene facilidad de palabra, le encanta la música y expresa sus emociones verbalmente. Por lo general monopoliza la conversación. No le preocupa su aspecto físico; recuerda los nombres pero no las caras, ni se fija en dibujos o ilustraciones; pasa mucho tiempo cantando y escuchando.

- Kinestésico

Aprende de lo que palpa. Le encanta tocar todo a su paso; se mueve constantemente y gesticula mucho. Es afectuoso y responde a muestras físicas de cariño. Se viste y arregla pero no permanece así porque no se queda quieto; no recuerda nombres ni rostros pero sí las acciones de las personas; le agrada bailar y si está leyendo cambia constantemente de posición; no se fija en detalles sino en lo que siente o en la impresión general que le causa lo que lo rodea. Se aburre con rapidez.

Revisa el estilo con el que aprendes y te comunicas y haz lo mismo con las personas que te rodean, —tu pareja, hijos, papá y mamá, hermanos y hermanas, amigos, socios y compañeros de trabajo. Si entendemos que la gente aprende y se comunica de manera diferente y por lo tanto tiene necesidades distintas a las nuestras, veremos que nuestras relaciones, con toda seguridad, mejorarán.

Entonces podrás comprender por qué tu suegra es como es, dice lo que dice y hace lo que hace. Vale la pena el esfuerzo ¿no crees? Pon en práctica esta información para que se te convierta en conocimiento.

Maraña:
Todos me limitan

Cambio:
Me autolimito

Desde que estamos en el vientre de nuestra madre empezamos a recibir información que se almacena a nivel subconsciente. No sabemos lo que está pasando, pero sentimos. Las emociones de la madre se transmiten al bebé y dan inicio a la programación mental. Luego nacemos y ahí continúa un camino de "adiestramiento" o "domesticación" para aprender lo que aparentemente "está bien y está mal".

El vocabulario es el instrumento, sin embargo el vehículo de conexión son las emociones. Desde pequeños escuchamos palabras que no tienen mucho sentido pero que van acompañadas de determinada carga emocional —no es lo que nos dicen, sino cómo nos lo dicen—. Cuando somos bebés las frases nos significan ternura, amor, comprensión. Empezamos a crecer y entonces cambian los tonos y la intensidad o el volumen.

Imagina que un bebé está empezando a caminar y de pronto parece que se va a caer y a su alrededor escucha un grito: ¡Cuidado! El bebé no entiende la palabra pero experimenta una emoción y frecuentemente se cae como consecuencia de escuchar el grito. Con el paso de los años ese bebé en crecimiento empezará a escuchar frases con mayor carga emocional como ¡Tonto! ¡Quítate mocoso! ¡Eres un llorón! ¡Cabezón! Frases que van subiendo de tono en la medida de su desarrollo. A partir de esas emociones se empiezan a gestar a nivel mental algunas creencias que afectan su desarrollo emocional y se le convierten en ideas limitantes.

Cada persona tiene un conjunto de ideas que están bien plantadas en su mente. Son como semillas que fueron colocadas por quienes estuvieron más cerca de nosotros, como padres, hermanos, maestros, familiares, amigos. Algunas ideas son positivas y contribuyen a un ejercicio favorable de la libertad, la paz y la armonía; sin embargo hay muchas otras que coartan la posibilidad de alcanzar objetivos para ser felices. Ideas como:

"Las mujeres a limpiar, los hombres a trabajar".

"Porque estoy gorda, nadie me quiere".

"El dinero no compra la felicidad".

"Los ricos son malos y desgraciados".

"Estás prieto y feo, nunca vas a pasar de sirviente".

"Los jefes son unos aprovechados".

"Hay que empezar desde abajo".

"Los hombres no lloran".

"La vida es difícil".

"Es la cruz que te tocó cargar".

"Ya te casaste, ya te fregaste".

"Una mujer decente no hace eso".

"El sexo es malo".

"Masturbarse es un pecado".

"Dios te va a castigar"… Entre muchas otras.

Sumadas a estas ideas limitantes, mentalmente fabricamos nuevas, al combinarlas entre sí. Es lo que Aristóteles llamó "silogismos". El silogismo es una forma de razonamiento deductivo en la que existen dos premisas o proposiciones y de ellas deriva una conclusión. Por ejemplo:

– Todos los hombres son infieles.

– Mi marido es hombre.

– Conclusión: Mi marido es infiel.

Ahora vamos a darles oportunidad a los hombres para que se expresen:

– Todas las mujeres son coquetas.

– Mi esposa es mujer.

– Conclusión: Mi esposa es coqueta.

En ambos pensamientos hay que recordar que las generalizaciones también incluyen la idea de que "mi papá, mi hermano, mis tíos, mis primos, mis amigos, mis jefes", así como "mi mamá, mis hermanas, mis tías, mis primas, mis amigas y mis jefas", caben dentro de la misma conclusión. Sólo para que lo pienses.

Como estas ideas han ido pasando de generación en generación, parecería que se convierten en una verdad absoluta. Igual sucede con las marañas que se tienen en otros renglones, por ejemplo con el dinero:

– Los ricos son unos aprovechados.

– Mi jefe es rico.

– Conclusión: Mi jefe es rico porque se aprovecha de mí.

Así como en la religión:

– Dios castiga a los pecadores y los manda al infierno.

– Yo he pecado.

– Conclusión: Dios me va a castigar y voy directo al infierno.

La gran mayoría de la gente ni siquiera se han puesto a pensar si esas ideas que ahora le están trasmitiendo a las nuevas generaciones son algo en lo que verdaderamente creen. Simplemente las repiten porque así se las dijeron.

La idea de que "los hombres no lloran", para reforzar el "machismo", causa daño a nivel emocional. Desde que son niños, a los varones se les corta de tajo la posibilidad de expresar lo que sienten porque cuando lloran, tanto mamá como papá —hermanos, tíos y amigos— les dicen: "Eres un llorón, pareces niña" "Deja de llorar, maricón" "Nada más las viejas lloran". Los adultos que usan estas frases piensan que con estas ideas van a lograr que el niño se sienta "hombre"; en realidad lo que suele ocurrir es que el pequeño aprende que es un "error" llorar y se aguanta "porque es muy macho", pero quiere llorar.

Con el paso de los años este niño establece una relación de pareja en la que no logra expresar lo que siente. Entonces explota con gritos, golpes y groserías, o se refugia en el silencio tragándose todo el dolor, que luego se convierte en enfermedades. Es bien sabido que la causa número uno de muerte entre los hombres es el ataque cardíaco, justo el centro de las emociones.

Moisés llegó a nosotras buscando ayuda para su familia después de la muerte de su hermano. Una de las ideas que estaba fuertemente atada a su mente era: "Los problemas son personales y nadie tiene por qué enterarse". Él le había heredado esta idea a su hija mayor, que se mantenía en profundo silencio y no exteriorizaba ninguna emoción ni expresaba sus pensamientos. Moisés recordó que su padre nunca expresó lo que sentía, ni siquiera cuando murió uno de sus hijos. Tampoco lo hicieron sus hermanos, sólo hablaban de cosas "prácticas y de hombres". Su hija tampoco lloraba porque aprendió de Moisés que no debía llorar para ser fuerte. A partir de su decisión de mejorar su vida, Moisés y su familia ya hablan abiertamente sobre lo que sienten y se dan permiso de llorar y reír con mayor frecuencia.

Esta idea, por sí misma, podría no tener significado, sin embargo depende de la percepción y la interpretación que cada persona le da. Si a una niña le dicen continuamente que "está gorda y fea" o que "parece tabla porque no tiene nada por enfrente y nada por detrás" —y como además se queda callada también le dicen que "es tímida" y le cuelgan etiquetas que ella se cree porque las ideas provienen de los seres con quien ella convive todos los días—, entonces ella crece creyendo que como es gorda, flaca, fea y tímida, nadie la va a querer.

Con todo esto en mente es como ella atrae a su vida todo tipo de situaciones donde confirma esa idea. Esta niña se sabotea a sí misma porque en su mente subconsciente germinó la semilla que fue plantada tiempo atrás y ella siguió cultivándola porque no se cree lo suficientemente buena. Nadie se encargó de decirle el maravilloso ser humano que es. El fruto son los resultados que ahora tiene: baja autoestima, depresión, aislamiento, soledad, tristeza, etc.

Sucede también que las ideas limitantes en torno al dinero provocan autosabotaje en personas que crecieron con premisas como: "El dinero enloquece a la gente", "El dinero es malo y sucio", "Lávate las manos ¡cochino! Agarraste dinero", "Sólo los pobres van al cielo". No es raro que a pesar de todo el esfuerzo que ellas hacen cotidianamente, y aun cuando suman grandes cantidades a sus cuentas bancarias, hay aspectos de su vida en los que personas con estas ideas limitantes pierden una y otra vez. Luego dicen que tienen mala suerte.

Lo que sucede es que no se creen merecedoras de tener dinero. A nivel subconsciente vuelven las ideas de la maldad que el dinero provoca y causan en su vida situaciones de emergencia, conflicto y caos, en los que inevitablemente pierden dinero.

Sergio es un hombre muy trabajador, dedicado y profesional. Siendo inmigrante logró abrirse camino estudiando y obtuvo una licencia para abrir su negocio de instalaciones eléctricas. A pesar de su esfuerzo y de la excelente calidad de su servicio no lograba salir a flote ni mantener un equilibrio entre sus ingresos y gastos.

Mientras realizábamos una dinámica sobre el dinero, Sergio recordó que siendo niño su papá los golpeaba bastante a él y a sus hermanos porque uno de ellos le sacaba monedas del pantalón para comprar dulces. Cuando el padre se daba cuenta los ponía en fila y uno a uno les preguntaba si habían tomado el dinero. Como nadie delataba al hermano responsable del hecho, les pegaba a todos con el cinturón hasta dejarles marcas, y en ocasiones, heridas sangrantes.

La interpretación que él hizo siendo niño fue que "el dinero es malo, si lo tomas te van a castigar y vas a sufrir". Aunque parece que la idea es absurda en un adulto —y sobre todo, hombre de negocios—, las emociones ligadas al dinero siguen siendo las mismas: "No me lo merezco porque cuando me llega dinero recibo dolor". Entonces Sergio atrae a su vida situaciones en las que pierde o regala el producto de su trabajo. Para él, el hecho de ir a cobrarle al cliente era una verdadera tortura. Terminaba haciendo rebajas que los clientes ni siquiera le pedían.

Todos crecimos con algunas o muchas ideas limitantes porque fueron las que nuestros padres, maestros, hermanos y amigos conocieron y nos trasmitieron. Lo interesante es que cuando nos convertimos en padres nosotros también se las heredamos a nuestros hijos, a menos que decidamos hacer cambios.

Para empezar a desechar ideas limitantes lo primero es reconocerlas y hacer un listado de los pensamientos que frenan nuestro desarrollo en las cuatro aéreas: emocional, espiritual, física y financiera. Piensa y escribe cuáles son estas ideas con las que creciste y quién las puso en tu mente.

El papá de Mirna le decía constantemente que era una "inútil" porque nunca encontraba las cosas que él le pedía. Con frecuencia estaba reparando el automóvil y le gritaba para que ella le trajera alguna herramienta, por ejemplo la llave stilson —que en algunos lugares llaman llave "perico"—. Como ambos son de temperamento fuerte, Mirna no preguntaba cuál era o cómo era la famosa llave, por lo que se paraba frente a la enorme caja roja de herramientas, buscaba y buscaba y luego salía a la cochera y decía: "No está". Enseguida recibía el tradicional regaño: "Eres una inútil, yo no sé para qué te mando si nunca encuentras nada, ¡inútil!".

A nivel subconsciente, la semilla de inutilidad había sido sembrada mucho tiempo atrás, desde su nacimiento, porque en la familia esperaban un varón y llegó ella. Mirna creció con ideas como "Las mujeres no sirven para mucho", "Las mujeres son producto para caballero". Por eso ella seguía atrayendo situaciones en las que se confirmaba que era una inútil.

Fue muchos años después cuando Mirna comprendió de dónde venía su necesidad de competir para demostrar que era eficiente, inteligente y útil. Había primero que sanar la relación con su papá; necesitaba perdonarlo, soltar esas viejas ideas y sembrar nuevas, mediante las cuales no tuviera la necesidad de competencia sino de disfrutar sus diferentes roles para desarrollarse en cualquier área de su vida.

Algunas afirmaciones con las que es conveniente empezar a trabajar a través de la repetición continua pueden ser:

– "Yo soy muy capaz y hago lo mejor que puedo".

– "A pesar de que a veces no todo me sale bien, soy alguien maravilloso, inteligente y capaz".

– "Merezco ser tratado con respeto y ser feliz".

– "Me amo, me acepto y soy un ser humano excepcional".

Una de las historias más enternecedoras ocurrió en el transcurso de la impartición de un taller sobre *"Tapping"* o técnica de liberación emocional (TLE), en el que se utilizan afirmaciones positivas para combatir los miedos. Entre los asistentes estaba Pepito, que entonces tenía 10 años y pasaba por una situación complicada a raíz de la separación de sus padres. Él tenía dificultades en la escuela y se negaba a hacer tareas; sus calificaciones empezaron a bajar considerablemente. Como Pepito era el único menor de edad en el grupo, decidimos que Clara trabajaría con los adultos y yo lo haría con el niño.

Empezamos a trabajar en las ideas que él tenía de sí mismo y cuando le dije que repitiera: "A pesar de que no quiero hacer la tarea, soy un chico maravilloso". Observé que los ojos del niño se abrieron y una sonrisa asomó en su rostro. Se quedó callado mientras yo repetía en voz alta: "A pesar de que no me gusta ir a la escuela, soy un chico maravilloso". Entonces le dio un ataque de risa y me dijo: "¿De verdad soy eso que dices?". Yo le contesté: "¡Por supuesto! El hecho de que no quieras ir a clases ni hacer la tarea no afecta en lo más mínimo que eres maravilloso, ¿o tú no crees que lo eres?". El niño lo pensó unos segundos y dijo: "¡Claro, y me gusta serlo!". Le respondí que yo también creía que él era maravilloso, pero que eso de nada serviría si *él* no lo creía.

Al día siguiente, su mamá nos habló para contarnos que en el camino de regreso a casa, mientras ella manejaba, Pepito hizo su tarea. A la semana siguiente, el niño asistió a un seminario que hicimos para niños y en lugar de escribir su nombre en su tarjeta de identificación escribió en inglés: "*Awesome*" —que significa: maravilloso.

Por lo general las personas se fijan en sus resultados y no en el origen de estos. Si no encuentran pareja se quejan de que otros tienen suerte y ellos no. Si les va mal en el trabajo o en los negocios, señalan a otros como los causantes de sus descalabros financieros, cuando lo cierto es que deben mirar qué hay dentro de sí para encontrar esas ideas que los limitan.

En la comunidad inmigrante con la que mayormente trabajamos en *Avante* encontramos muchas personas que se autolimitan porque no tienen los documentos legales para trabajar. Entonces culpan al gobierno, a la política, a la policía, de todas sus desgracias, a pesar de que también existe otro numeroso grupo que ha salido adelante a pesar de que tampoco cuentan con los documentos requeridos para vivir y trabajar en Estados Unidos.

Maricela se quejaba amargamente del trabajo que tenía. Odiaba llegar a su oficina y recordaba que en su país de origen ella tenía un título universitario y había empezado a ejercer su profesión. Sin embargo decidió mudarse a Estados Unidos y su título quedó colgado en la pared. Hacía un trabajo monótono que detestaba argumentando que no tenía otra opción al carecer de sus documentos migratorios aptos para trabajar.

Sucedió que finalmente llegaron sus papeles pero ella permaneció en el mismo puesto ¡por años! Cuando empezó su trabajo de desarrollo personal comprendió que la falta de papeles era sólo un pretexto, lo que en realidad ella tenía era *miedo* a fracasar, a no salir adelante, a defraudar a su familia, que le había brindado apoyo. El miedo la mantenía inmovilizada. Entonces entendió el origen del miedo y empezó a hacer los cambios. Primero dejó el trabajo —a pesar del temor de su esposo de no contar con un ingreso fijo y de estar en plena recesión económica—. Maricela se lanzó a buscar el trabajo que era su pasión: la enseñanza. Muy pronto encontró lo que buscaba.

Otros argumentan que no pueden salir adelante porque no hablan inglés y "sin inglés no somos nada". Entonces se creen la idea y sus resultados son congruentes. También es cierto que hay muchas personas que a pesar de no hablar este idioma han encontrado los mecanismos para salir adelante, ya sea porque asisten a clases, estudian por internet o medios audiovisuales, piden apoyo, etc. Se mueven y hacen todo lo que está a su alcance para crecer, aprender y compartir.

Hay quienes afirman que son discriminados por "los güeros" porque son morenos y de pelo oscuro. En este sentido cabe anotar que la discriminación se sufre igualmente en los países de donde somos originarios. Clara es colombiana y allí existe población con raíces afroamericanas. Esta población ha sido marginada por cientos de años, y lo mismo sucede en México, donde los del norte se ensañan con la gente del sur porque son "prietos e ignorantes". Es más, dentro de las mismas familias a veces se apapacha más al que tiene la tez blanca que al moreno. A este último se le colocan apodos lastimeros como "prieto", "chanate", "chango", "arrimado".

En una ocasión llegó a nuestro seminario una señora con dos de sus hijas, ambas hermosas, una morena y otra blanca. La mamá nos dijo: "Esta es bien bonita porque salió a mi familia, todos somos blancos, la otra también aunque está prietita". ¡Imagínate las conclusiones que a nivel mental y emocional se están haciendo esas niñas! Sin que la madre lo sepa, su hija discriminada debe estar utilizando el pensamiento aristotélico de los silogismos:

– Los morenos son feos.

– Yo soy morena.

– Yo soy fea.

Hacer de lado las limitaciones implica esfuerzo, tenacidad, movimiento, ejecución y resultados. Y ese es un gran compromiso. Algunos deciden quedarse como están aunque no les guste pues "Mal de muchos, consuelo de tontos", —miserables pero acompañados—, todo porque quienes los rodean también tienen esas mismas ideas y se las reafirman entre sí. Se quedan en la misma zona de "comodidad", aunque en realidad están bien incómodos, pero es lo que conocen y el miedo los domina. Se quedan paralizados.

Date a la tarea de revisar cuáles son tus ideas limitantes y en qué te están afectando. Define nuevas ideas edificantes que te ayuden a construir un presente en el que te deshagas de las marañas, de los pensamientos negativos sobre ti mismo, y como consecuencia, sobre los demás.

Deja de quedarte dentro de una caja mental donde te mueves de esquina a esquina y en la que hay un montón de letreros que te muestran lo que tienes que hacer para estar "confortable", como por ejemplo: "El que no transa no avanza", "Pobre pero contento", "Esta es mi cruz", "Si me quejo, me corren", "Para qué cambiar, yo estoy bien, que cambien otros".

La comodidad es una zona bien peligrosa porque estanca la iniciativa y la creatividad. Las instrucciones para salir de esa caja, esa prisión mental llena de telarañas y marañas, están afuera. Tienes que salir para poder leerlas y actuar.

Maraña:

Quiero la revancha
para hacer justicia

Cambio:

Quiero entender
para estar en paz

¿Qué sucede cuando alguien hace o dice algo que interpretas como ofensivo o doloro-

so? ¿Qué haces? ¿Reaccionas o respondes? ¿Recuerdas alguna ocasión en la que alguien no te saludó, te dijo tonto o ignorante, ignoró tu punto de vista o a lo mejor en la autopista se te atravesó y luego te insultó? ¿Qué cambios hubo en tu cuerpo, en tus emociones, en tu día?

Si alguien hace o dice algo que interpretas como ofensivo, generalmente entras en un proceso que llamaremos "las 3 R". Lo peligroso de esto es que lo repites a diario, cada vez que recuerdas lo sucedido. Y cada vez que lo repites, te va destruyendo poco a poco y por consiguiente afectas a quienes están a tu alrededor. Es un proceso tan nocivo que —podemos asegurar— es el causante de la disolución de sociedades, matrimonios, relaciones familiares, empresas y motivo de las guerras en el mundo. Se centra en emociones devastadoras: el resentimiento y la culpa.

En el momento en que alguien hace o dice algo que interpretas como ofensivo tu reacción es de *resentimiento*. Esto sucede con frecuencia porque la otra persona no llena *tus* expectativas. De la misma forma tú también puedes causar esos sentimientos en alguien cuando eres tú quien no llena *sus* expectativas. Es de notar que en muchas ocasiones no tenemos ni idea de cuáles son esas expectativas que otros esperan de nosotros y viceversa. Pero cuando es tu turno de experimentar frustración te llenas de ira, coraje, rencor, dolor, miedo, tristeza y sientes estas emociones en todo tu cuerpo una y otra vez, manifestadas incluso en forma de dolor de cabeza o de estómago, presión en el pecho, angustia, ganas de vomitar, diarrea y algunas otras reacciones físicas.

Culpas a alguien más de tus emociones, de tu estado de ánimo y por tanto de tus resultados. Siendo esa persona la culpable, ahora la solución también está en manos de ella y tú esperas que te resuelva la situación, confías en que ella cambie y entonces también tu vida va a cambiar. Poco a poco vas aprendiendo a vivir en esclavitud. Te conviertes en víctima, te comportas como tal y así vives. Vas cayendo en un ciclo muy destructivo. Cada vez que recuerdas el suceso vuelves a sentir las mismas emociones de rabia y enojo, por eso se llama *resentimiento* —primera "R"—. Cuando el resentimiento se guarda por mucho tiempo puede llevar a enfermedades como el cáncer, la diabetes, la artritis y otras.

Después del *resentimiento pasas a la resistencia* —segunda "R"—. En esta parte del proceso justificas, te cuestionas, dudas y en general pones una barrera entre la otra persona y tú. Posiblemente dejes de hablarle, la ignoras y refuerzas la idea de que eres víctima de alguien que está abusando de ti. El proceso puede tomar un par de segundos o algunas horas y en muchas ocasiones dura años.

Y con este sentimiento crece el deseo de que la otra persona "sienta lo que tú estás sintiendo" porque quieres que se haga justicia. En realidad lo que buscas es la *revancha* —tercera "R"—. Crees que si logras que tu ofensor sienta lo que tú estás sintiendo vas a obtener un poco de alivio, te vas a sentir mejor. Buscas por todos los medios vengarte y cuando lo logras, quizá sientes un alivio temporal pero luego te das cuenta que el enojo, el coraje y la rabia regresan y en ocasiones en forma más fuerte y amplificada. Lo que es más, ahora sientes culpabilidad por lo que hiciste.

Diriges ese enojo hacia ti y vives el proceso de las tres "R", ahora dirigido hacia tu persona. Te vas autocastigando y autodestruyendo, en formas a veces sutiles, y otras obvias —hay quienes dejan de comer mientras otros comen demás—. Y cuando crees que te has calmado, recuerdas el incidente y sientes nuevamente rabia, enojo y coraje hacia quien inicialmente te ofendió y una y otra vez repites este proceso que te quita la paz.

¿Cuántas veces has sentido el dolor que te causó una palabra, un golpe, un rechazo de tus padres? Cada vez que lo recuerdas vuelves a sufrir. Al recordar tu niñez ¿vuelves a sentir alegría o tristeza, tranquilidad o rabia, odio o amor, como si lo estuvieses viviendo nuevamente?

Laura se sentía profundamente triste al recordar el hecho de que su hermano mayor la rechazaba constantemente cuando eran niños. Cada vez que ella se acercaba para abrazarlo, él la apartaba bruscamente. Más tarde comprendió que su hermano creía que había "preferencia" de sus padres hacia ella y por eso la rechazaba. Sin embargo cada vez que Laura recordaba el incidente, la tristeza se apoderaba de ella.

Una situación similar vivió Ramiro. Comentó que su padre rara vez jugaba con él cuando era niño porque siempre estaba viajando y cuando llegaba a casa solía estar cansado. Ramiro es padre de familia y al contar el hecho sus ojos se llenaron de lágrimas. Habían pasado casi treinta años y el dolor seguía estando presente.

Ten presente que el subconsciente no diferencia entre fantasía y realidad. Cuando los recuerdos del pasado vienen a tu memoria, tu subconsciente los percibe como si estuviesen sucediendo en el presente y las emociones vuelven a repetirse. Por eso es importante que hagas cambios a nivel subconsciente. Así podrás liberarte de esas emociones que te esclavizan y no te permiten avanzar.

Puedes continuar como estás ahora y seguir esperando que alguien cambie para que tu vida mejore. Pero también puedes decidir tomar el control de tu vida aprendiendo a romper este ciclo de resentimiento y culpabilidad. Escoge entre vivir con intensidad o vivir en mediocridad.

Maraña:
Perdono pero no olvido

Cambio:
Comprendo que perdonar es entender

La clave para romper este ciclo es el perdón. Es importante aclarar que al hablar de perdón, lo hacemos fuera del contexto religioso. Cualquiera que sea tu creencia, el perdón abre las puertas de la paz y la felicidad. El perdón te permite aprender a ser feliz *a pesar de*...

Vamos a aclarar algunos mitos sobre el perdón y para esto es necesario hablar de lo que *no* es el perdón. La gente dice "perdono pero no olvido", y queremos explicarte: por supuesto que no vas a olvidar. El perdón no causa amnesia parcial ni total. Lo que sucede es que vas a recordar en forma diferente. Vas a hacer reinterpretaciones de tal forma que cuando recuerdes el suceso entiendas y veas el aprendizaje en la experiencia. Entonces comprendes que puedes usar esa experiencia para crecer, mejorar y aprender. Perdonar no significa quedarse en la situación.

Estela nos comentaba que su pareja la golpeaba y luego le pedía perdón. Ella lo perdonaba y después de unos días él la golpeaba nuevamente. Le explicábamos que perdonar es algo diferente. Cuando perdonas entiendes que la persona sólo te está dando lo que tiene y está haciendo lo que sabe, sin embargo no tienes porqué aceptarlo si no es lo que quieres para tu vida.

Si perdonas, te puedes alejar de la persona en paz, sin juicios, sin rabia ni resentimiento y le permites que siga su camino.

Hay quienes se separan de sus parejas por violencia doméstica y no se dan cuenta que siguen esclavizados porque cada vez que recuerdan el pasado vuelven a sufrir. La separación física no es garantía de separación emocional. Entonces es importante que quede claro que perdonar no significa soportar o aceptar una situación que no deseas para tu vida.

Perdonar no es algo que se hace en un minuto o dos. Perdonar es un proceso.

Para perdonar no es necesario que el ofensor te pida perdón, cambie o se arrepienta. Tampoco hay diferencia si este está vivo o muerto, si vive lejos o cerca de ti. El perdón no es un proceso para la otra persona, es para y por ti.

Seguramente te estarás preguntando qué es el perdón y cómo se hace.

Perdonar es entender, soltar, dejar ir completamente. El perdón es un proceso que te lleva a aprender a recordar tu pasado con gratitud y paz, que te permite tomar decisiones y respetar las de los demás, vivir en excelencia, ser feliz a pesar de.

Para perdonar es indispensable, primero, que mires dentro de ti, revises tu pasado y las interpretaciones que hiciste de los hechos que sucedieron mientras crecías. Es reconocer y aceptar las emociones que asociaste con cada suceso y darte permiso de sentirlas sin juicios. Luego reinterpretas lo acontecido y buscas el aprendizaje en cada uno de los hechos. Finalmente, para completar el proceso, das gracias.

Ana, una de nuestras asistentes al seminario, se molestó con este último punto y con tono amargo nos dijo: "O sea que encima de que fue infiel, ¡le tengo que agradecer! ¡Bonito el cuento!". Le ayudamos a ver para qué le había servido la experiencia —a pesar del dolor de la separación— pues ella creció con la idea de que "el matrimonio es para toda la vida".

Previamente al divorcio, Ana cambió de empleo para obtener un mayor ingreso. Gracias a su eficiencia —sumada a la idea de necesidad monetaria— ella ascendió de cargo y de sueldo. Se incorporó también a una empresa de multinivel, recibió capacitación en desarrollo personal y empezó a generar un ingreso residual; había conocido a mucha gente y socializaba con facilidad, —cosa que a su marido le molestaba—. Ya no había gritos en la casa, los hijos estaban tranquilos porque no escuchaban las peleas ni sentían miedo cuando Ana y su esposo se dejaban de hablar por días. La calma regresó al hogar. Ana se abrió a un universo de posibilidades y decidió a hacer cosas que antes no se atrevía; fue entonces cuando se independizó financiera y emocionalmente. "¿No crees que sería bueno darle las gracias a tu marido?", le volvimos a preguntar. Esta vez ella asintió entre sonoras carcajadas.

El proceso de perdón es comparable con la limpieza del clóset. Primero necesitas abrir la puerta, ver qué hay dentro, inspeccionar para decidir qué te sirve y qué no te sirve; sacar lo que no necesitas o no quieres y luego reorganizar lo que queda y dejar suficiente espacio para poner cosas nuevas. Ahora bien, si queda espacio, este se llenará rápidamente y pronto vas a tener tu clóset nuevamente desordenado, a menos que conscientemente coloques sólo lo que tu deseas.

Al igual que pasa con la limpieza del clóset, no es fácil comenzar. ¿Recuerdas lo que sientes cuando debes limpiarlo? Sientes desánimo, suspiras y lo dejas para otro día porque sabes que está lleno de cosas en desorden, algunas realmente innecesarias y otras que son basura, pero las guardas "por si acaso". Aunque eres consciente de la necesidad de limpiar, le das vuelta y lo pospones. Luego te asomas al de tu pareja, tus hijos, tus hermanos, tus compañeros de trabajo y los criticas por el desorden. Es más fácil ¿no?

Igual te entretienes con otras actividades que usas como excusa para no limpiar tu clóset mental, lleno de ideas, valores, emociones, creencias y vivencias —algunas que te ayudan a crecer y otras que te destruyen—. En ocasiones te da miedo abrir ese clóset mental y pretendes que todo está bien y organizado como tú quieres. Al final de cuentas dices que no eres ordenado en general. En realidad, ni siquiera sabes lo que ahí se encuentra.

Recuerda que usamos el clóset mental para referirnos a tu subconsciente, tu piloto automático, el genio de la lámpara, la varita mágica. Si tu clóset está repleto de cosas y abres la puerta, todo te cae encima. Si se llena más de la cuenta, la puerta usualmente no resiste y se abre sola. Cuando estás en una situación de estrés, tu clóset se abre y sale lo que está dentro. Puedes mantener la puerta cerrada a ratos mientras estás consciente. Sin embargo, como la mayor parte del tiempo estás funcionando en piloto automático, la puerta se abre mecánicamente y salen todas esas emociones guardadas al recibir algún estímulo externo como el clima, la situación económica, tu pareja que hace o dice algo, tus hijos, tus amigos, el jefe y un sinfín de personas o situaciones.

Te disgustas y aseguras que lo que salió es por culpa de alguien más o que salió del clóset de tu vecino. Recuerda que el guardián del clóset, tu consciente, está dormido la mayor parte del tiempo y tu armario se llena de cosas sin que te des cuenta. Y con seguridad hay unas cuantas ratas muertas ahí. Las ratas muertas representan esas emociones como odio, tristeza, soledad, culpa, coraje y todas las variantes de emociones que se catalogan como negativas.

Es difícil para algunas personas aceptar que las tienen, y por ello se sienten culpables. En el proceso de perdón, reconocer que son parte de la gama de emociones con las que vives, es no sólo importante sino indispensable. Las emociones no son buenas ni malas, positivas ni negativas, sólo son. Sentir es sano. Juzgar, daña.

Ahora tu clóset mental está abierto y tienes la oportunidad de mirar y reconocer lo que hay dentro. El siguiente paso es revisar y decidir cuáles de esas emociones, valores o ideas quieres conservar y cuáles quieres desechar. Y llega la hora de desechar lo que no quieres. Así queda espacio libre para ocuparlo con lo que deseas. Al desocupar te sientes más liviano, descansado, tranquilo, en paz, libre.

Para completar el proceso necesitas poner dentro sólo lo que deseas. Es tu oportunidad para decidir qué quieres colocar en el lugar que quedó vacío. Ahora sí puedes empezar a diseñar tu propia vida, tu destino, tu presente y tu futuro. Y si deseas ser libre, entonces es el momento de colocar paz, amor, entendimiento, tolerancia, comprensión, compasión y así tu proceso de perdón está completo.

Es importante repetir este proceso varias veces para poder sanar totalmente, igual que cuando tienes una herida y necesitas cambiar los vendajes en varias ocasiones hasta que la herida cierra por completo y cicatriza. El perdón debe convertirse en un hábito diario si deseas permanecer en paz, pues diariamente suceden situaciones que interpretas como ofensivas y necesitas reinterpretarlas para evitar que se cree resentimiento y culpabilidad.

Franco creció en un hogar con un papá alcohólico que con frecuencia golpeaba e insultaba brutalmente a su madre. Él recordaba toda la rabia e impotencia que sentía cada vez que su padre llegaba alcoholizado a golpearlos y soñaba con el día en que pudiera sacar a su mamá de esa situación. Deseaba de todo corazón ser grande para defenderla. Finalmente él huyó de casa siendo un joven y empezó a trabajar. Guardó con mucho amor el recuerdo de su madre y con mucho coraje y odio el de su padre. Pensaba que su madre había sido una santa al soportar tanto abuso.

Un día regresó a la casa y le ofreció a su mamá sacarla de ahí y pagarle un apartamento para que pudiera liberarse de los golpes e insultos. Su madre no aceptó el ofrecimiento. Le explicó a Franco que ella quería a su esposo —según ella estaba cambiando, quizá por los años—. Franco sintió mucho dolor y confusión; él se había jurado que jamás haría lo mismo que su padre cuando tuviera su propio hogar. Se marchó nuevamente de casa. Luego se casó. Llegó a *Avante* buscando ayuda pues estaba destruyendo su relación al gritar y golpear a sus hijos. Vivía lleno de rabia y coraje.

Durante el trabajo de desarrollo personal Franco tuvo la oportunidad de abrir su clóset mental y ver todas esas emociones que se le habían acumulado allí con los años. Le sugerimos que se abriera a la posibilidad de que su rabia no fuera solamente contra su padre sino también contra su madre. Su respuesta fue inmediata: "Sería injusto sentir rabia hacia mi madre, ella se sacrificó por nosotros, la pobre sufrió mucho, ¿cómo puedo sentir algo que no sea amor hacia ella?". Sin embargo, a medida que ahondaba más se dio cuenta y aceptó la idea de que efectivamente sentía rabia hacia su madre por haber aceptado la situación, por no haber tenido el valor de separarse y de esa forma evitar tanto maltrato.

A medida que empezó a aceptar sus verdaderos sentimientos, Franco pudo también empezar a reinterpretar su pasado y a entender que sus padres hicieron lo que sabían. Indagó sobre las historias de vida de sus padres y pudo descubrir todo el dolor, miedo y rabia que ellos heredaron de sus propios padres. Con esta información le fue más fácil trabajar en la reinterpretación y encontrar el valor en sus experiencias.

Por ejemplo, reconoció que debido a la violencia de su hogar y su sueño de ayudar a su madre, él tuvo la fuerza para trabajar duro, ahorrar, mantenerse alejado de las drogas y el alcohol y salir adelante. Entonces empezó a agradecer lo que sus padres le dieron pues entendió que eso era todo lo que ellos tenían e hicieron sólo lo que sabían. Pero también comprendió que él podía hacer algo diferente y cortar esas cadenas de violencia.

Tus acciones están determinadas por tus emociones y si permites que los demás controlen tus emociones, entonces ¿quien realmente dirige tu vida? "No me gusta que me digan qué hacer", dice la gente mientras permiten que el resentimiento y la culpabilidad conduzcan su vida. Y lo más interesante es que en la mayoría de las ocasiones esas personas que aparentemente nos hicieron daño, ni enteradas están. Algunas viven del otro lado del mundo o quizá ya murieron.

¿Por qué decimos que ellos dirigen tu vida? Piénsalo. Cada vez que recuerdas algún suceso pasado sientes nuevamente el enojo, el dolor o el miedo y actúas de acuerdo con esa emoción. Ahora bien, si perdonas, si sueltas y te haces responsable cuando recuerdas, eliges cómo quieres sentirte y por tanto cómo actúas.

Con frecuencia llegan a los seminarios personas que han tenido la experiencia de abuso sexual a diferentes edades y usualmente por familiares o gente cercana. La pregunta más común es: ¿Cómo voy a perdonar a alguien que me hizo tanto daño? En la mayoría de las ocasiones el suceso ocurrió durante la niñez y desde entonces, la persona ha llevado consigo el coraje, la sensación de impotencia, vergüenza, culpabilidad y otras emociones que la siguen lastimando y la llevan a lastimar a otros. Las opciones que les ofrecemos son:

1. Vivir miserables al continuar con el ciclo de emociones negativas.

2. Perdonar y liberarse para vivir en excelencia.

Reinterpretar el abuso sexual no es sencillo. Algunos de los factores que entran en juego son el hecho de que, en ocasiones, al niño le agradó el toque y hasta llegó a creer que esa es la forma de jugar o conectarse con otros. Cuando crece y se hace consciente de lo que sucedió, este niño abusado se siente avergonzado y culpable. El proceso del perdón debe incluir no sólo al victimario, que en muchas ocasiones fue a su vez víctima de lo mismo, sino también a la víctima y a quienes supuestamente pudieron haber evitado el hecho, como padres, abuelos, familiares.

Una de las experiencias de Clara fue precisamente el abuso sexual siendo niña. Ella recuerda que algunas de las interpretaciones que hizo por muchos años acerca de su experiencia de abuso fueron:

- Mis padres no me quieren pues no me cuidaron.

- Yo hice algo malo pues mis padres son buenos y si no me cuidaron fue porque yo no me lo merecía, lo cual quiere decir que soy mala.

- Soy mala porque cómo es posible que me haya gustado que me tocaran, cuando eso es malo.

- Debo sentirme avergonzada porque no hice nada al respecto.

- Soy una cobarde por no haber hablado y evitado el abuso.

Todas estas interpretaciones la llenaron de rabia, vergüenza, dolor, miedo, coraje y odio. Hasta su adolescencia fue una niña bastante callada y sumisa. Luego, durante su adolescencia, la rabia y coraje hacia su familia fue tanta que se "convirtió" en una rebelde. Después decidió "olvidarse" de lo que había pasado sin hablarlo con nadie. Guardó dentro de sí todas las emociones y las memorias del pasado. Pensó que esa era la solución. Siguió su vida pretendiendo que todo estaba bien. Cerró la puerta del clóset con fuerza. Todo marchó medianamente bien por algún tiempo. Luego se mudó a Estados Unidos siguiendo el sueño de mantener su hogar, y con la presión del choque cultural la puerta del clóset empezó a abrirse.

Esas emociones guardadas por tantos años se asomaban cada vez con más frecuencia y su vida se convirtió en un verdadero infierno interior. No recordaba los sucesos del pasado ni entendía qué estaba pasando con su vida. Profesionalmente seguía teniendo mucho éxito y cuanto más éxito tenía, peor se sentía.

Finalmente las respuestas a sus preguntas aparecieron. A pesar del miedo, asistió a un seminario de desarrollo personal de tres días. Allí fue donde se dio la oportunidad de mirar dentro de sí. Conoció la fuerza del perdón y de la reinterpretación. A partir de entonces empezó verdaderamente a disfrutar la vida. Eso sucedió hace casi veinte años. Algunas de las nuevas interpretaciones de Clara fueron:

– Mis padres me cuidaron de la forma que ellos sabían. Ellos no estaban preparados para estos casos pues nadie los instruyó.

– Mis padres me quisieron muchísimo y el abuso no tuvo ninguna relación con el amor de ellos hacia mí.

– Soy buena e hice lo que cualquier niño de mi edad podía hacer sin experiencia ni información.

– El victimario posiblemente fue víctima en algún momento y entonces hizo lo que sabía. Su conducta no tiene ninguna relación con mi valor como ser humano.

– Gracias a esa experiencia aprendí a ser más sensible, a perdonar, a entender y —sin darme cuenta— me estaba preparando para cumplir con mi misión en la vida al compartir el mensaje del poder del perdón.

– Gracias a esa experiencia sé la diferencia entre vivir en un infierno de odio, vergüenza y coraje, y vivir en el cielo que brinda la paz que se encuentra al perdonar.

No puedes cambiar el hecho, puedes cambiar la interpretación. Es decidir entre ser esclavo o ser libre, víctima o responsable, vivir o vegetar. Por mucho tiempo Clara se saboteaba cada vez que empezaba a triunfar pues en el fondo no creía que se lo merecía. Pensaba que había hecho algo malo y por tanto se seguía autocastigando. El perdón le permitió liberarse.

En una ocasión, al entrevistar a una víctima de violación, la mujer comentó que había perdonado a su atacante. El periodista le preguntó con una expresión de incredulidad que no pudo evitar ¿cómo era posible perdonar a alguien que le había hecho tanto daño? Su respuesta fue simple y directa: "El destruyó un día de mi vida, no le voy a dar permiso de destruir uno más". Esa es una buena razón para perdonar.

Si quieres darles permiso a los demás para que construyan o destruyan tu vida en lugar de hacerlo tú mismo, es sencillo. Lo único que tienes que hacer es guardar resentimiento o perdonar. La decisión es tuya.

En muchas ocasiones necesitamos apoyo para perdonar. Busca ayuda. El camino se facilita y acorta cuando vamos de la mano de alguien más. El perdón debe convertirse en un hábito diario. Eso te conduce a no juzgar, a buscar la forma de entender, a reinterpretar cada hecho que te sucede. Poco a poco te vas convirtiendo en un buscador de lo bueno. Entiendes que cada persona tiene su historia y que nunca tendrás todos los hechos para poder hacer un juicio equilibrado y justo.

Si quieres ser feliz a pesar de los demás y de las circunstancias, perdona, entiende, suelta, sé compasivo. La verdadera libertad del hombre radica en elegir cómo quiere sentirse en cada circunstancia, frente a cualquier situación.

Maraña:
Soy una víctima

Cambio:
Soy responsable de mis actos

Hay una enfermedad que está acabando con el mundo. Es una epidemia que está tomando dimensiones alarmantes. El nombre de esta enfermedad es *victimitis*. Quienes la padecen lanzan frases como:

- ¡Por tu culpa estoy triste!

- ¡Tú me pones de mal genio!

- ¿Ves estas canas verdes? ¡Son por tu culpa!

- No puedo vivir sin ti, ¡me muero!

- ¡Me enojo por tu culpa!

- Si no hubieras hecho eso ¡yo no me sentiría como me siento!

- ¿Por qué me pasa esto a mí?

- ¡Dios no quería eso para mí!

- ¡Que Dios te castigue!

- ¡Por culpa de mis padres soy como soy!

- ¡La vida es injusta!

- ¡Pobre de mí!

- ¡Nadie me entiende, todos me tratan mal!

Y podríamos seguir escribiendo un sinfín de estas frases, porque los que padecen de victimitis tienen un diccionario completo: "*Manual de la víctima, ampliado y corregido*".

Mucho ojo porque esta enfermedad es terriblemente contagiosa. Se transmite de padres a hijos, entre hermanos, amigos, de maestros a alumnos y viceversa, jefes a empleados entre sí, entre extraños, a través de contacto directo y a distancia, a veces en forma lenta, otras quizá rápida, sin discriminar color, idioma, edad ni género.

Es una enfermedad que te esclaviza, te mata poco a poco, te destruye y destruye todo lo que te rodea, no permite que te muevas o te obliga a moverte muy lentamente, te conduce a senderos de tristeza, rabia, decepción, resentimiento, coraje, soledad.

La victimitis empieza a aprenderse en casa cuando eres pequeño. Recuerda si tus padres se quejaban de lo desagradecido que eras, de lo duro que ellos trabajaban para mantenerte. Esas ocasiones en las cuales te gritaban o golpeaban y aseguraban que era por tu culpa. La vez que rompiste el vaso y te gritaron por descuidado. ¿Recuerdas el miedo que sentías de admitir que te habías equivocado pues sabías que te iban a castigar y entonces recurrías a la técnica de culpar a alguien más?

Pablito tenía el rostro embarrado de chocolate cuando su mamá intencionalmente le preguntó: "¿Quién se comió el pastel de chocolate sin mi permiso?". El niño se estremeció y con la boca aún llena levantó la mano para señalar a su hermanito de menos de un año de edad. La historia es real y se repite con mucha frecuencia en las familias ante el temor de recibir castigos.

¿Qué sentías cuando escuchabas a tus padres culpar al gobierno, al jefe, a la suegra, al vecino o a quien fuera, de la situación que estaban viviendo?

Acusar, culpar, apuntar, son el pan de cada día. Es más fácil culpar a los demás que tomar responsabilidad. Sin embargo el precio que se paga por no asumir la responsabilidad es bien alto.

Puedes evitar tu responsabilidad pero no puedes evitar las consecuencias que esto acarrea. Cuando no te haces responsable y culpas a los demás, estás entregando el control de tu vida a aquellos a quienes culpas. Si los demás son culpables de tu estado de ánimo o de tus resultados, entonces necesitas esperar hasta que ellos cambien o modifiquen su forma de ser o de actuar para que tu vida cambie. Ciertamente es cómodo pero el precio es alto. Estás pagando con tu vida. Dejas de aprender, de crecer, de vivir.

Y cuando eres tú quien te haces responsable por otro, lo aniquilas, lo limitas, lo inhabilitas y el resultado es resentimiento por parte de esa persona. Crees que le estás haciendo un favor pero en realidad la estás destruyendo poco a poco. Si eres responsable por la felicidad de alguien entonces también eres responsable de su miseria. Es una carga muy pesada para llevar.

Hay formas de diagnosticar esta enfermedad y una de ellas es el vocabulario que se usa. Los enfermos de victimitis utilizan con mucha frecuencia términos, frases e incluso actitudes como:

– Si hubiera, hubiese, pudiera, pudiese, es muy difícil, es imposible, tengo que, me tocó, por tu culpa, no puedo.

– Platican cada detalle de "lo que les hicieron" –nunca mencionan lo que ellos o ellas hicieron.

– Sus conversaciones son siempre en tiempo pasado, lloran con frecuencia, se enojan si no les prestas atención y se molestan muchísimo si les dicen que padecen de "victimitis aguda".

– Se ofenden porque no han logrado verse a sí mismos. Creen que ellos están bien y los demás están equivocados, hacen las cosas mal y no los consideran.

– Pueden dejar de hablarte por meses o por años, convencidos de que los ofendiste sencillamente porque no les gustó lo que escucharon.

Lo maravilloso es que hay un antídoto efectivo para curar la victimitis aguda. Se llama: *tomar responsabilidad*. Empieza a tomar responsabilidad por tu vida. Toma las riendas de tu presente. Decide por ti mismo. Deja de culpar, de apuntar, de juzgar y enfócate en solucionar, aprender y crecer. Te preguntarás: "¿Cómo lo hago?". Aquí tienes algunos pasos:

1. Para empezar, necesitas reconocer el problema. Es imposible resolver una situación si no aceptas que la tienes. Préstale atención a tu vocabulario. Revisa tus actitudes, ¿juzgas, apuntas, culpas, acusas?

2. Luego de diagnosticarte decide qué quieres hacer al respecto. Si tu decisión es tomar control sobre tu vida, entonces empieza a cambiar el vocabulario que usas y aprende a reinterpretar cada situación.

En lugar de:	Di:
"Me pones de mal genio".	"Me puse de mal genio".
"Me haces feliz".	"Decido ser feliz".
"Por tu culpa me siento triste".	"Estoy triste".
"Nadie me entiende".	"Quiero entender".

3. Agradece. Cuando ves en cada circunstancia una gran oportunidad de aprender y crecer, ya no necesitas acusar. Por el contrario, das gracias. Agradecer es una de las mejores técnicas para dejar de juzgar y apuntar. Así, al enfocarte en lo que tienes, en lo bueno, en lo positivo, avanzas en el proceso de retomar el control de tu destino.

Las personas o circunstancias que atraes a tu vida son instrumentos para tu crecimiento personal y tú para el de ellas. Desafortunadamente un gran número de personas no lo reconoce y desperdicia la oportunidad de convertirse en un equipo alumno-maestro. Aprendes y enseñas día a día, consciente o subconscientemente.

La próxima vez que sientas que alguien "te hizo" algo recuerda que tú lo atrajiste a tu vida y pregúntate: "¿Qué necesito aprender de la situación o de esta persona? ¿Cuál es el aprendizaje?". En vez de preguntarte: "¿Por qué a mí?", pregunta: "¿Para qué a mí?".

Ricardo se quejaba de que su hija de 6 años "lo ponía de mal genio, lo desesperaba". La culpaba de su pérdida de control, que terminaba a gritos. Le sugerimos que diera gracias por su hija y que la viera como su maestra. "¿Mi maestra?", respondió sorprendido. Le explicamos que las personas que consideramos más molestas, que se convierten en un dolor de cabeza, son precisamente nuestras mejores maestras porque te dan la oportunidad de practicar la paciencia, el amor y la compasión y te facilitan mirar dentro de ti.

Con el tiempo la relación padre-hija mejoró y a medida que Ricardo trabaja en su crecimiento personal ha aprendido a controlar sus emociones en lugar de ser un títere de su hija.

"Porque sencillamente sólo puede salir lo que está dentro". Así lo explica el Dr. Wayne Dyer, considerado como "El padre de la motivación" y autor de más de treinta libros. Dyer utiliza una analogía para explicar el tema de lo que tenemos dentro:

> "Cuando exprimimos una naranja sale jugo de naranja pues es lo que tiene la naranja por dentro. Lo mismo sucede con nosotros. Cuando nos exprimen sale lo que está dentro de nosotros".

¿Y cómo es que somos exprimidos? Nos exprimen nuestros hijos, la pareja, los familiares y en general cualquier persona que tengamos cerca. Nos exprime el clima, el gobierno, las noticias y todas las circunstancias que consideramos negativas. Casi siempre nuestra primera respuesta es reaccionar automáticamente, como los animales. No hay ningún espacio entre el estímulo y la respuesta. Es la condición en la cual opera un gran número de individuos. "El calor me pone de mal genio y el frío me deprime", dice la gente. Culpas al estímulo de tu respuesta, o sea que no tienes control consciente de tus actos.

Es esencial que entiendas que lo que sale es porque está dentro de ti y que si no te gusta lo que ves, tienes la capacidad de cambiarlo. Si sale rabia, odio, resentimiento, tristeza, es porque eso es lo que tienes dentro. Si en tu interior hay paz, amor, comprensión, compasión, tolerancia, eso es lo que saldrá porque eso es lo que hay dentro de ti. Es imposible que salga paz de alguien que está lleno de rabia. Es como pretender que cuando tu clóset está lleno de basura, al abrirlo salgan flores.

Enrique estableció una sociedad de trabajo y a las pocas semanas empezaron los problemas porque detectó que sus socios pretendían abrir sus propios negocios. Eso le molestó mucho pues —según él— les había abierto su corazón para apoyarlos y ellos lo traicionaban al quitarle los clientes y quedarse con dinero de la sociedad. Reaccionó con enojo, gritó maldiciones y groserías y quiso ir a golpearlos. Se sintió víctima y pasó el tiempo diciéndole a todo el que quisiera escuchar lo que le había sucedido.

Enrique no se percataba de que al asumir la responsabilidad por su vida él debía responder, no reaccionar. La decisión de abrir la sociedad fue suya, por lo tanto él también era responsable de los resultados. La situación que parecía problemática le brindó a Enrique la oportunidad de aliarse con otros socios, buscar nuevos mecanismos y expandir su negocio en otras áreas. En realidad, el problema se convirtió en un regalo. Tardó en asimilar la nueva idea, sin embargo logró cambiar su forma de pensar y de la agresión pasó a caminar por la ruta del entendimiento.

Cuando se recibe el estímulo, lo aconsejable es tomar un tiempo y luego sí responder conscientemente. A medida que modificas lo que tienes dentro, tus respuestas van cambiando y reflejan tu interior. Tus resultados son un reflejo de tu estado interior. Cambia tu estado interior y por consiguiente tus resultados van a cambiar. Es tu decisión. Esa es la libertad máxima.

En el proceso de tomar responsabilidad es importante entender que cada persona hace lo que puede con lo que tiene. Es imposible dar lo que no tienes. Cada ser humano tiene su historia y por tanto también tiene sus propias marañas con las cuales filtra la información que recibe. Y tú no eres diferente a los demás. Recuerda convertirte en un buscador de lo bueno. Aprovecha cada oportunidad para aprender, para crecer. Busca lo positivo en cada situación y agradece.

Si quieres vivir a plenitud es indispensable que te cures de la "victimitis aguda" porque no sólo estás enfermo tú, sino que contagias a los demás.

Maraña:
Lo importante son los hechos

Cambio:
Lo importante es la interpretación

Al presentarse una situación donde se
alteran las emociones, se realizan interpretaciones
individuales a partir de la forma en que se perciben los hechos. Esa es
la razón por la cual en un hogar donde hay cuatro o cinco hijos, aunque sean físicamente parecidos, todos dan la impresión de haber sido
criados por diferentes padres. Emocionalmente son diferentes y por eso
cada hecho lo interpretan de distinta manera.

Digamos que hay varios niños en la familia y en ese hogar se vive
una situación de violencia doméstica donde hay insultos verbales y
abuso físico. El hecho es el mismo, sin embargo cada hijo lo percibe
de diferente manera y toma decisiones a partir de ello.

Si uno o varios de los niños tienen temperamento colérico, es decir dominante y controlador, es posible que ellos quieran enfrentarse al
victimario. Si no lo hacen, guardan resentimiento por lo que vieron y
tienen ideas como: "Nunca voy a dejar que me hagan eso a mí, cuando
yo crezca me voy a vengar", "¿Por qué se deja, por qué se aguanta?",
"Mi papá es un tal por cual, entonces todos los hombres son unos tales
por cuales".

Otro hijo, con temperamento melancólico y comportamiento apoyador se asustaría y pensaría: "Será que hice algo malo y es culpa mía.
Tengo que ver qué hago para poder resolver la situación".

Esto demuestra cómo a partir del mismo estímulo se toman diferentes decisiones. Los padres se gritan e insultan pero cada hijo percibe
distinto. La niña, que posiblemente es agresiva, no se va a dejar de los
hombres, y otra que a lo mejor es pasiva, —porque tiene miedo— va a
buscar la manera de ganarse el afecto y de solucionar el problema del
que se siente culpable. La realidad es una, la interpretación del hecho
es variable.

Entonces ¿qué es mas importante, el hecho real o la interpretación? ¿Es posible cambiar los hechos? ¡No! ¿Tenemos la habilidad de cambiar la interpretación de los hechos? ¡Claro! Podemos interpretar los hechos como nos dé la gana.

María vivió una situación de violencia. Su papá era un hombre extremadamente agresivo —creció en un ambiente de violencia verbal y física—. Eso fue lo que él aprendió y eso mismo dio. El hecho real es que el padre la trataba a golpes, insultos, comparaciones lastimosas y muchas groserías. María hizo ciertas interpretaciones cuando era niña que le han dolido y lastimado y la mantienen en una relación donde también recibe abuso por parte de su pareja.

Como adulta, ahora ella está en capacidad de interpretarlo diferente. María tiene la opción de decir que su papá fue un desgraciado, una bestia; también puede decir que su papá fue un hombre que vivió y creció con mucho dolor, resentimiento y tanta falta de amor que no sabía más que gritar e insultar. Ese hecho no tiene nada que ver con ella. María tiene la libertad para empezar a sembrar una nueva idea en su mente que le ayude a sanar las heridas emocionales: "Yo soy una persona que vale mucho, que se merece lo mejor y simplemente mi papá hizo lo que hizo porque era lo único que sabía hacer".

¿Cuál de las dos interpretaciones va ayudarle a María a estar tranquila y en paz? ¿Con cuál de las dos interpretaciones se cambian los hechos reales? Con ninguna. El hecho real es el mismo: los mismos golpes, los mismos insultos, la misma humillación, eso no cambia; sin embargo, dependiendo de la interpretación que haga, ella puede cambiar el presente y al hacerlo cambian los resultados.

El hecho real no cambia pero la interpretación marca la diferencia entre ser una persona feliz o seguir siendo alguien miserable. Ahí es donde está el valor. El hecho real es lo ocurrido, lo que ya pasó, según como lo interpretes.

Habíamos puesto como ejemplo que vas manejando cuando de repente alguien se te atraviesa y casi chocas. El hecho real es que un individuo se atravesó. Ahora viene la interpretación al decir: "Este desgraciado no sabe manejar". O también existe la opción de decir: "A lo mejor esta persona esté enferma, tenga a alguien en el hospital o vaya con más prisa que yo". ¿El hecho real cambia? No, no cambia porque es un hecho que el hombre se te atravesó. La actitud cambia y como consecuencia lo que piensas cambia, lo que sientes cambia y cambian también los resultados.

Qué tal si sigo con mi enojo y digo: "¡Este desgraciado!". Algunas personas aceleran, se adelantan y les echan a los demás el carro encima "para que vean lo que se siente", o les da taquicardia, van recordándole a todos a la progenitora durante todo el camino y llegan a la oficina o a la casa con todo ese coraje. Cuando se acerca el niño y saluda a su padre con gusto, lo que el pequeño obtiene como respuesta es: "¡Quítate de aquí que vengo de malas pulgas porque un hijo de la tiznada se me atravesó!".

La interpretación que haces de los hechos determina tus resultados para ser feliz y estar en paz o para vivir enfadado, amargándoles la vida a los demás. Reinterpretar el pasado —cuando hay resentimiento— es de suma importancia para deshacer las marañas que hay en la mente, corazón y alma de las personas. Puedes creer que estás engañándote porque la realidad fue distinta, sin embargo *tú* creaste esa realidad y tienes la posibilidad de reinterpretarla para perdonar.

Darse la oportunidad de cambiar la interpretación a través del perdón y el entendimiento significa la posibilidad de vivir con intensidad, sin las cadenas y ataduras a un pasado doloroso que, de no ser sanado, se hereda a quienes están más cerca de nosotros.

Clara compartió su experiencia de abuso sexual. El hecho no va a cambiar, la experiencia estuvo ahí. La interpretación que ella hizo sí cambió, y al cambiar la interpretación, toda su vida ha cambiado.

Hay quienes claman a los cuatro vientos que "Hay que hacer justicia" y en aras de ella nos lastimamos y a la vez dañamos al mundo entero porque lo que en realidad se está pidiendo es venganza. Y no queremos decir que se pasen de largo los abusos de cualquier índole, lo que sí pensamos es que el victimario, la persona que abusa de otra, tiene su propia historia de dolor, sufrimiento, resentimiento y rabia.

En los casos de abuso físico, sexual y emocional, lo más probable es que el victimario también haya sido víctima en sus primeros años y sólo está repitiendo lo que aprendió. Él también necesita ayuda. En algunos casos la única forma de ayudarlo es alejándolo de la sociedad.

Ser capaces de ver a los victimarios con ojos de entendimiento, en lugar de levantar el dedo acusador, nos da la oportunidad de enviar energía positiva al Universo. Si viviste una situación de abuso, en cualquiera de sus formas, es importante que te preguntes: "¿Voy a dejar que ese hecho me siga lastimando? ¿Voy a seguir cargando con esa culpa, resentimiento y rabia? ¿Quiénes resultan más afectados con esas interpretaciones dolorosas de mi pasado? ¿Por cuánto tiempo voy a permitir que esa persona o personas controlen mis emociones y afecten mi presente?".

Ser feliz es una decisión. Recuerda que no puedes cambiar tu pasado pero sí es posible cambiar la forma en que lo interpretas.

Maraña:
La vida es una ruleta rusa

Cambio:
La vida es una rueda

Vivimos con el pie en el acelerador, comemos rápido, dormimos a medias y nos reímos

poco. Hay más medios de comunicación y nos comunicamos menos. Tenemos más televisores, teléfonos y computadoras en casa que libros. Ya no hablamos, sólo "texteamos"; pasamos mucho tiempo en Facebook revisando los mensajes de personas que ni conocemos en lugar de socializar. El tiempo pasa rápido y a menudo estamos exhaustos. Ponemos atención a lo que consideramos prioritario y hacemos de lado lo que es importante.

Nuestra vida se compone de diferentes áreas que están ligadas entre sí para lograr balance y bienestar. Sin embargo es muy común que se les preste mayor atención a una o dos de esas áreas descuidando el resto. Hay quienes se enfocan en el trabajo y hacen de lado la recreación e incluso el descanso; otros edifican sus cuerpos con ejercicio y alimentación y descuidan la parte emocional; algunos piensan que lo más importante es tener cosas: un auto, una casa, dinero, y olvidan la conexión espiritual.

Diversos autores mencionan que existen siete áreas de desarrollo humano, otros dicen que son diez. Para efecto del trabajo que realizamos a través de los seminarios, las ubicaremos en cuatro grandes áreas, aunque existen subdivisiones:

- Emocional

- Espiritual

- Física

- Financiera

¿Cómo podemos saber si estamos en balance o fuera de él? Siendo totalmente honestos al realizar el siguiente ejercicio. Es importante que pienses en el hecho de que, para saber a dónde quieres llegar, primero necesitas saber en qué lugar estás situado. Igual que cuando vas a hacer una reservación aérea, lo primero que te preguntan es cuál es la ciudad de origen y luego a dónde vas a viajar.

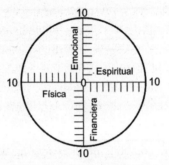

En el círculo están las cuatro áreas de desarrollo y hay pequeñas rayas del centro hacia la periferia. En el centro está el 0 que equivale a nada y el 10 es el puntaje máximo pasando por los números intermedios. Colócate en una posición cómoda que te permita estar relajado y sin interrupciones para que puedas poner en claro tus ideas.

En la parte emocional se encuentran —entre otras cosas— tu superación personal, el estudio, profesión, satisfacción en desempeño, relación familiar y social, habilidades de comunicación y socialización, esparcimiento y recreación, relación amorosa y amistad. Para evaluarla, piensa cómo es tu relación familiar con tus padres, hermanos, hijos, pareja, suegros, etc. ¿Te sientes cómodo y satisfecho con la forma en que manejas tus relaciones familiares? ¿Tienes una buena comunicación, o prefieres no contar con ellos? ¿Hay malos entendidos, resentimientos, rabia, coraje que te has guardado por mucho tiempo? ¿Te sientes feliz con la forma en que llevas esa relación familiar?

Por otra parte, cómo son tus relaciones de amistad: tienes pocos o muchos amigos, socializas con facilidad o te cuesta trabajo, prefieres mantenerte aislado o eres el "alma de la fiesta". ¿Crees que eres extrovertido o introvertido? ¿Te sientes cómodo y satisfecho con la forma en que te relacionas con la gente? Piensa además cómo es tu relación con la comunidad, con tus vecinos, con tus empleados, con tus compañeros de trabajo. Pregúntate si estás en el nivel profesional que quieres para tu vida, si has conseguido todas tus metas y si ya tienes definidos nuevos objetivos.

¿Persigues tus sueños o te quedas estancado esperando a que las cosas cambien para moverte? ¿Desempeñas la actividad que realmente te apasiona o te aburre lo que haces? ¿Estás satisfecho con tus resultados? ¿En cuál nivel de 0 a 10 crees que estás? Coloca una marca en el número que creas de acuerdo al sitio donde te ubicas en este momento. No se trata de proyectar sino de que seas congruente con los resultados que ahora tienes.

Ahora muévete al área espiritual. Reflexiona sobre tu paz interior y el sentido de la vida. La parte espiritual no está ligada a la religión ya que se puede tener una religión y no ser espiritual y ser espiritual sin tener una religión. Se refiere a la conexión con tu divinidad, con tu ser superior, la certeza de saber que perteneces a algo mejor que nosotros mismos a lo que le llames Dios, Energía Superior, Universo, Mahoma, Jehová, Buda o cualquiera que sea el concepto que tienes. El propósito es que haya una conexión fuera de la materia y a través de la fe que te ayuda a ver lo invisible y creer en lo imposible. A medida que el espíritu encuentra albergue en nuestro ser, la vida se llena de armonía, paz, paciencia, humildad, bondad y alegría a través del perdón.

Reflexiona sobre esta área de tu vida. ¿Sientes que existe la conexión? ¿Crees que el nivel de compromiso que tienes hasta ahora es satisfactorio o que puedes hacer más porque en realidad has descuidado el terreno? ¿Brindas servicio a tu congregación, agrupación o iglesia? ¿Ayudas a otros seres a través del servicio comunitario sin esperar absolutamente nada a cambio? ¿Sientes paz interior y eres capaz de transmitirla a otras personas? Coloca una marca en el número donde crees que estás en esa área en la etapa presente de tu vida.

Pasemos ahora al área física que comprende el cuidado y fortalecimiento del cuerpo, el único empaque que tenemos y con frecuencia descuidamos pues hay quienes centran la atención en la parte externa, que es sólo la apariencia, olvidándose de que todo lo que se proyecta hacia el exterior proviene del interior. Piensa detenidamente cuándo fue la última vez que desintoxicaste tu cuerpo, acudiste a revisión médica aunque no estabas enfermo, mediste tu presión y los niveles en tu sangre. Analiza si comes de forma saludable o eres de las personas que tienden a no alimentar su cuerpo sino a llenarlo; observa si no comes a tus horas, comes rápido, no tomas suficiente agua pura, llevas una vida demasiado sedentaria, estás estresado constantemente y no te das tiempo para practicar deportes y relajación, si padeces enfermedades crónicas que afectan tu desempeño diario. Responde a estas y otras preguntas, contesta con honestidad. Coloca una marca en el sitio en que consideres es el que representa lo que estás haciendo ahora para mantener tu cuerpo en equilibrio.

Revisa enseguida el área financiera. No sólo se trata de que eches un vistazo a tu cartera sino que hagas un recorrido por todo lo que se incluye en este renglón. Por ejemplo, si estás en la posición económica en que quieres estar, si vives satisfactoriamente con los ingresos que tienes; pregúntate para cuánto te alcanza el dinero que has ahorrado o si no tienes ningún ahorro, si eres indisciplinado en este renglón, si ahorras pero no sabes para qué. ¿Sabes utilizar tus tarjetas de crédito o están hasta el tope y no alcanzas ni a cubrir el pago mínimo?; ¿tienes un fondo para emergencias de por lo menos 6 meses de tu ingreso? ¿Puedes salir de vacaciones con soltura y sin preocuparte de que al regreso se acumulen tus deudas? Si tienes hijos, ¿cuentas con seguro de vida y tienes un fondo para que ellos asistan a la universidad? ¿Tienes más deudas que amigos? ¿Tienes bienes inmuebles? ¿Sabes cómo y dónde invertir tu dinero? ¿Vives pidiendo prestado? ¿Pagas tus deudas o te quedas sin amigos por "mala paga"? ¿Detestas el trabajo que tienes pero te aguantas porque tienes pagos pendientes? ¿Puedes cubrir gastos inesperados por enfermedad o muerte? ¿Te sientes pleno y satisfecho con los resultados financieros que tienes en este momento? Coloca una marca en el número en que consideres que estás ahora.

Cuando hayas completado la evaluación en las cuatro áreas, une las marcas o puntos trazando una línea curva siguiendo la línea de la circunferencia. Fíjate cómo queda y piensa en lo siguiente.

Este ejercicio se llama "La rueda de la vida". ¿Cómo salió tu rueda? Para que una rueda avance tiene que ser redonda, que todas sus áreas sean armónicas y balanceadas. ¿La tuya es así? ¿O parece platillo volador, salchicha o balón de fútbol americano? La forma de tu rueda te da una idea más clara de cuáles son las áreas en las que debes trabajar.

Quizá te salió una rueda pequeña, bien redondita pero chica. Significa que vas a tener que dar más vueltas para avanzar. Si la rueda de la vida todavía no llega al 10, quiere decir que debes trabajar todos los días. Puede ser que avances en un área, y a veces te atrasas en otra. Pero lo importante es que tomes en cuenta las cuatro áreas para que logres el balance. Cuando sabes dónde poner énfasis, es más sencillo enfocarte.

Si falta un gran tramo en el área espiritual, ¿cómo vas a actuar, qué cosas vas a poner en práctica, cuáles decisiones vas a tomar, qué medidas vas a implementar? Porque necesitas estar en paz y tranquilo contigo mismo.

Si las finanzas no te satisfacen, ¿qué vas a hacer ahora para cambiar tus resultados? Hay que fijar metas y alcanzarlas para después fijar otras nuevas.

Si tienes planes de trabajar en tu cuerpo, estar saludable y que esto te ayude en las otras áreas, tienes que fijar metas, no sólo quedarte en sueños y propósitos. Es común que los gimnasios estén llenos en enero con todas las personas que hicieron el propósito de bajar de peso después de las festividades. Pero en febrero la cantidad de gente se reduce a la mitad y en marzo quedan en los gimnasios aquellos que ya estaban antes porque tienen el ejercicio como hábito.

Recuerda que es importante saber dónde estás en este momento para luego determinar hacia dónde vas a dirigirte.

Marañas:
Tengo planes

Cambio:
Establezco metas
para lograr mis planes

En *Alicia en el país de las maravillas* la protagonista llega a un sitio donde hay un sinnúmero de letreros que indican diferentes rutas a seguir. Entonces se le aparece el Gato de Cheshire y la conversación entre ambos es más o menos así:

—"¿Me podrías indicar hacia dónde tengo que ir desde aquí?"—, pregunta Alicia.

—"Eso depende de a dónde quieras llegar"—, responde el gato.

—"A mí no me importa demasiado a dónde".

—"En ese caso, da igual hacia dónde vayas"—, afirma el felino.

Cuando tus ideas no tienen una dirección definida, seguramente vas a estar dando vueltas en lo mismo y sintiéndote cansado porque no llegas a ninguna parte. De ahí la importancia de fijar metas que vayan más allá de la idea de tener un propósito o un sueño. Y con esto no queremos decir que dejes de soñar, al contrario, pero la mejor forma de aterrizar esos sueños es determinando metas. Cuando se definen las metas hace falta un plan detallado de acción, no basta sólo con escribirlas, ese es nada más el primer paso, es necesario enfocarse y trabajar en ellas hasta alcanzarlas, tomando en cuenta las siguientes características:

METAS:

- Medibles
  Poder medirlas nos da la oportunidad de saber cuándo se alcanzan.

- Específicas
  El objetivo es definir con exactitud y detalle lo que se quiere lograr.

- Tiempo determinado
  Se definen fechas de iniciación y terminación, los plazos y los límites. Así se pueden hacer los ajustes necesarios en ese transcurso de tiempo.

- Alcanzables
  Deben ser ambiciosas pero no fuera de la realidad. Deben estar en el marco general del plan de vida, para que sea factible conseguirlas.

- Riesgosas
  Deben contener pasión, entusiasmo y una pequeña dosis de nervios que te hagan estirarte, salirte de tu zona de confort.

Las metas son claras si decides lo que quieres lograr y para cuándo. Si lo que quieres es un automóvil nuevo, describe los detalles, el año, la marca, color, accesorios, etc. Si quieres dinero, no digas "quiero ganar más", porque "más" es un centavo o un dólar adicional. Sé específico con los detalles.

Por ejemplo: "Voy a ahorrar $1.000.00 dólares (o pesos, yens, euros, etc.) en 30 días", y aclara el propósito del ahorro. Si lo que quieres es tiempo con tu familia y sólo dices: "Voy a pasar más tiempo con mis hijos", esa no es una meta específica. Debes decir: "Voy a conversar 20 minutos con cada uno de mis tres hijos, de lunes a viernes y una hora los fines de semana por los siguientes tres meses".

Es importante que recuerdes que la mente trabaja con imágenes y en la mente la palabra "no" carece de imagen, por lo tanto di lo que quieres y no lo que no quieres. Si tu meta es bajar de peso, elimina "Yo no quiero ser gordo o yo no quiero estar gorda" porque lo que tu mente visualiza es una persona pasada de peso, y si la mente lo ve lo convierte en realidad. Para que tu meta sea poderosa di: "El 31 de julio del 2012 pesaré 145 libras".

Si tú ya sabes qué quieres y cómo lo vas a lograr, no sólo tienes metas, tienes un plan. Las metas deben sacarte de esa zona de comodidad en la que estás, deben estirarte.

Las personas que han asistido al seminario de *El desafío de cambiar tu vida* y quieren seguir trabajando en sí mismas, se inscriben en el programa de *Liderazgo*. En él trabajamos con sus metas personales. Cada quien tiene un mentor que le ayuda a enfocarse en sus metas porque existe la tendencia a hacerlas a un lado poniendo infinidad de excusas. La gente frecuentemente asegura que tiene otras cosas más importantes por atender. Si se cuenta con un mentor, el camino se aligera y es posible conseguir las metas con mayor efectividad.

Una vez definidas tus metas, ten bien claro que lo importante es desarrollar tu carácter como persona, aprender nuevas habilidades, desechar viejos malos hábitos, abrazar nuevas ideas y emprender nuevos retos; busca convertirte en alguien que sabe atraer cosas y emociones positivas para sí y disponte a trabajar, a equivocarte, a aprender. Construye tu identidad sin atarla a lo material sino a la grandeza que como ser humano posees. Procura siempre *ser*, para luego *hacer*, y finalmente *tener*.

La mayoría de la gente lo hace invirtiendo el orden: primero hacen cosas para poder *tener* —un carro, una casa, una profesión, etc.— y aseguran que sólo entonces pueden *ser* felices. Enfócate en *ser*, lo demás, viene detrás.

Maraña:
Te juro que nunca más

Cambio:
Reconozco que falté a mi compromiso

Sucede con frecuencia que cuando quieren hacer cambios sustanciales desde el interior, las personas se dan a la tarea de establecer sus metas y buscar mecanismos para cumplirlas a través de compromisos. Un compromiso es una forma única de afrontar retos, es un valor necesario para cumplir con la misión que se desempeña en cualquier rol de la vida, ya sea en la familia, empresa, escuela, congregación religiosa, etc.

El compromiso beneficia en principio a la persona que lo adquiere y como consecuencia a quienes le rodean. Cuando existe un compromiso no se cambian arbitrariamente los objetivos, por el contrario, se revisan de forma continua para no desviarse del origen.

Los cambios sustanciales se dan cuando las personas realmente se comprometen y le dan valor a su palabra. Al existir un compromiso genuino se unen la tenacidad y el esfuerzo constante. Alguien comprometido siempre se esfuerza por ir mucho más allá de lo que está previsto en sus funciones, no se queda en un cumplimiento rutinario: busca la forma para escalar y no ser uno más del montón.

El compromiso es lo que convierte una promesa en realidad. De por medio se empeña la palabra que garantiza el cumplimiento de las intenciones. Durante años fue suficiente que la gente llegara a acuerdos de negocios con sólo afirmarlo verbalmente. Se trataba de un acuerdo donde el honor y la integridad tenían un sitio privilegiado.

Para sellar los acuerdos —que no son por escrito— se utilizan con frecuencia frases como: "Te prometo que voy a cumplir lo que digo", "Te lo juro por Dios", "Me comprometo a cumplir y si no que me caiga un rayo", "Hasta que la muerte nos separe". ¿Te suenan conocidas estas frases? ¿Alguien te las ha dicho o quizá tú las has utilizado en alguna ocasión?

Sin embargo los seres humanos somos falibles, o sea, nos equivocamos y en ocasiones, —a pesar del compromiso— faltamos a la palabra,
quedamos mal, "metemos la pata hasta el fondo", "la regamos" y otros
términos que preferimos no citar en este espacio. Si el compromiso o la
palabra empeñada tienen un valor que no puede medirse en monedas
de oro, ni en centímetros, ni en pulgadas, entonces ¿cómo se aquilata?
¿Qué se pierde cuando no se cumple?

Es interesante que algunas personas tiendan a huir si no cumplen
con su palabra. Desaparecen del mapa como si con ese acto borraran
el resultado de sus acciones. Sucede con más frecuencia en operaciones en las que el dinero es el motor del compromiso. Quedan mal
y huyen —con el dinero, claro— dejando una estela de confusión y
tragos amargos. No se dan cuenta que sus acciones no sólo sientan un
precedente sino que sus actos provienen de antecedentes de deshones-
tidad que son recurrentes en su vida. La realidad es que *nunca* se han
comprometido verdaderamente, por eso se pasan creyendo que enga-
ñan a los demás, cuando realmente a los únicos a quienes traicionan
es a sí mismos.

Unos cuantos dan la cara, se arrepienten y piden disculpas por sus
acciones. Dicen cosas como: "Verdad de Dios que nunca más lo voy
a volver a hacer", "Por la virgencita santa que es la última", "Juro por
mi madre que ni una más". Sin embargo es factible que vuelvan a cometer la misma falta en un periodo corto de tiempo porque el engaño
y la mentira forman parte de las marañas con las que han crecido por
miedo.

Ricardo es un bromista. A todo incidente le saca el lado humo-
rístico y en uno de los seminarios comentó que de niño él se pasaba
inventando historias fantásticas para justificar las travesuras que hacía.
Como por lo general le daban una golpiza y le gritaban cosas horribles,
aprendió a decir mentiras para justificarse, y eran tan absurdas sus jus-
tificaciones que llegó un momento en que en lugar de regañarlo, sus
padres se reían. Entonces él encontró el mecanismo para salvarse de
los golpes: aún cuando lo pillaron con la boca embarrada de chocolate, aseguró que ¡un marciano se había comido el pastel! Sucede que
siendo adulto continuó con el mismo patrón de historias maravillosas

para justificarse. Sin embargo estaba a punto del divorcio por andar inventando cuentos que a su esposa no le hacían ninguna gracia.

Cometemos errores pero en cada error existe la posibilidad de rectificar. El daño causado no puede eliminarse pero es posible volver a obrar con integridad, que significa vivir en concordancia con un estado elevado de conciencia. Ser íntegro no implica ser perfecto ni es un concepto de moral. Al igual que la inteligencia, puede usarse para hacer el mal. Una persona inteligente no necesariamente es buena o feliz. La integridad es una actitud que se incorpora a la vida diaria para obtener satisfacción, pues básicamente se trata de hacer lo que se dice y se promete; se aplica tanto en las personas como en las organizaciones.

Por ejemplo, alguien tiene un compromiso para ver a una persona de negocios en determinada fecha y hora. O para recoger al hijo a la salida de la escuela. Pero existe la posibilidad de faltar al compromiso, de llega tarde, de posponerlo y dejar que el hijo se queda esperando por horas. Hay un costo, ya sea monetario o en pérdida de imagen y de confianza.

La integridad consiste no sólo en cumplir lo que se dice sino en minimizar el costo del incumplimiento y en comunicar la incapacidad de cumplir y resarcir de la mejor manera el daño. Algo tan sencillo como decir: "Estoy faltando a mi palabra, ¿qué puedo hacer para arreglar la situación?" es un buen comienzo.

La respuesta no necesariamente debe venir de otra persona, sino del interior de quien se acaba de cuestionar mediante la búsqueda sincera de mecanismos que no sean repetitivos, sino que escalen el nivel de compromiso de una forma diferente.

Ser íntegro no significa ser perfecto, la perfección humana no existe, sin embargo somos seres perfectibles, nuestra integridad habla por encima de las palabras para forjar nuestro carácter a pesar de las adversidades. Si estás faltando a tus promesas, es un buen momento para volver a comprometerte y darle valor a tu palabra.

Maraña:
No tengo recursos

Cambio:
Me decido y
los recursos aparecen

CLARA ARENAS - MIRNA PINEDA | 169

¿Alguna vez deseaste algo tan intensamente que decidiste lograrlo a toda costa? ¿Recuerdas ese momento?

Tu intención era total, al 100% y en ningún momento dudaste de lograrlo. Te enfocaste en tu meta a pesar de que no tenías ni idea de cómo ibas a llegar a ella. El fracaso no entraba en tu ecuación. Sabías que necesitabas un medio, una forma para lograrlo, sin embargo estabas dispuesto a probar cuantas posibilidades fueran necesarias para llegar a tu meta.

Y si piensas en este momento que nunca has estado en esa situación, te pedimos que recapacites y lo pienses nuevamente. Vuela hasta tu niñez. Todos los niños han estado en estas circunstancias por lo menos en algún momento. Los niños son buenísimos para lograr la atención de los adultos. Usan el mecanismo que sea necesario, a pesar de que no forzosamente los lleve a obtener atención en forma positiva. Sin embargo logran que los miren. Y cuando el niño desea un dulce, un billete o ir a algún sitio, hace lo que sea para obtenerlo.

A medida que creces te van domesticando y aprendes a resignarte, a renunciar, a conformarte, a rendirte, a concentrarte en el mecanismo y no en tus deseos. La fuerza de tu intención disminuye, sientes miedo de no poder alcanzar tus metas, crees que no te las mereces y terminas limitándote a lo que percibes con tus cinco sentidos. Te conformas con lo que crees poder obtener basado en tus recursos. Y entonces dejas de soñar e incluso empiezas a usar la palabra *intención* en forma errónea, como un deseo débil, condicionado.

El diccionario Larousse define la palabra *intención* como la determinación de hacer algo. Intención es sinónimo de propósito, determinación, resolución.

Con frecuencia escuchamos frases como: "Tenía la intención de ir, pero…", "Mi intención era hacerlo, sin embargo…" y completan la frase con excusas.

Cuando tienes la intención, cuando decides hacer algo, significa que estás determinado y resuelto a lograrlo. El mecanismo es secundario, es necesario pero no importante. Hay muchas formas de llegar al mismo sitio. Sólo dos direcciones: o vas para adelante o para atrás. Pero lo puedes hacer de diferentes maneras. Tus resultados están en proporción directa a tu intención. Mira tus resultados y así podrás evaluar tu verdadera intención.

Estamos seguras que has escuchado hablar de deportistas, inventores, políticos, líderes religiosos, actores etc., cuya intención era del 100% y lograron sus metas a pesar de las circunstancias. Cuando un mecanismo no funciona, se buscan otro y otro sin parar hasta lograr el objetivo.

El gran dramaturgo irlandés, ganador del Premio Nobel de Literatura en 1925 y del Óscar en 1938, por la adaptación de un guión cinematográfico, George Bernard Shaw, dijo: "Yo no creo en circunstancias, la gente que triunfa en este mundo es aquella que busca las circunstancias que quiere, y si no las encuentra, las crea".

Doña Matilde, una mujer de edad avanzada, llegó a uno de nuestros talleres buscando la forma de salir adelante en un país al que acababa de llegar. Cuando escuchó que estaba próximo el seminario de cuatro días, dijo: "Yo quiero ir pero estoy de 'arrimada con mi hermano'" —se refería a que estaba viviendo con su hermano—, "no tengo trabajo y estoy muy vieja". Volvió a la siguiente semana y afirmó prácticamente lo mismo; en la tercera sesión dijo tajante: "Quiero a ir al seminario y voy a vender "pupusas" hasta completar el dinero que necesito para asistir". —Las pupusas son una versión de la tortilla mexicana, generalmente cubiertas de carne, queso y frijoles, entre otros ingredientes. Es comida típica de El Salvador.

Doña Matilde vendió muchas pupusas e hizo grandes descubrimientos: que tenía habilidad, no sólo para hacer el platillo sino para relacionarse con la gente, que seguía siendo útil a pesar de su edad, que era capaz de ser autosuficiente, que la gente la quería y apoyaba. Después de asistir al seminario se mudó a otra ciudad, se independizó de su hermano y se puso a trabajar por su cuenta.

Algunas de las quejas o excusas que tiene la gente son: "No tengo los medios, las circunstancias no están a mi favor" "El plan no funcionó, no hubo el apoyo necesario". Hay quienes llegan a ser bien creativos para excusarse. Se centran en el mecanismo, en la forma, en el procedimiento. No reconocen que sus ideas, valores y creencias acerca de sí mismos y de la vida los limitan y su intención es débil. No reconocen que es el miedo a fracasar, a triunfar, a la responsabilidad y muchas otras ideas autolimitantes, lo que en realidad les impiden lograr eso que dicen querer.

Nosotras empezamos la sociedad aunque no teníamos dinero para comprar el equipo técnico ni para pagar la renta del local. Sin embargo esto no fue motivo para hacer el proyecto a un lado. Pusimos en práctica nuestras habilidades y los escasos recursos económicos con los que contábamos y empezamos el primer seminario. De ahí salió el dinero suficiente para adquirir el equipo técnico (micrófonos, bocinas, computadora, etc.). Tomamos la decisión, sabíamos lo que queríamos y el dinero llegó.

Si tu intención es suficientemente fuerte, encontrarás el camino. Vuela sin límites. Si sientes que no tienes alas, recuerda que para eso se hicieron los aviones. Decide qué quieres de verdad, ten fe y determinación. Sólo necesitas el 100% de intención, los mecanismos aparecen.

Maraña:
Soy pobre pero feliz

Cambio:
Soy rico y feliz

¿Qué es el dinero? Es una herramienta, es un vehículo. Es energía. Como cualquier otra

cosa, el dinero es energía. El dinero no son los billetes. La gente siente o pone su seguridad en el dinero, pero el dinero no da la seguridad. La seguridad verdadera es interna, depende de nuestra fe en Dios, en nosotros mismos y en los demás. Cuando pones tu seguridad en el dinero, estás dándole todo tu poder a unos billetes y te esclavizas. Algunas personas se sienten seguras si tienen muchos billetes pero se les acaban y se deprimen, se suicidan, se divorcian y desencadenan una cantidad de problemas.

Otros dicen que "el dinero no es importante". Si eres de los que piensan así, te retamos a que vayas a la tienda, pidas comida y digas: "No tengo dinero para pagar" y luego puedas volver a decir que el dinero no es importante. Si viene tu hijo y te dice: "Tengo hambre y no hay nada para comer" o "Necesito los libros para la escuela, quiero estudiar" y tú no tienes el dinero para cubrir esas necesidades, ¿puedes decir nuevamente que el dinero no es importante?

¡Claro que es importante! Es parte de la vida, estamos teniendo una experiencia física y el dinero es un vehículo de intercambio en el sistema que vivimos. Cambias un servicio o producto por billetes. Así de sencillo. El problema no es el dinero sino las ideas limitantes acerca de él.

Recuerda que hablamos sobre el subconsciente, el piloto automático. Vamos a revisar cuál es la programación o las coordenadas que tienes acerca del dinero. Analizando las ideas que fueron puestas en tu clóset mental sobre el dinero podrás saber hacia dónde se dirige tu avión en esta área. Recuerda el ejemplo sobre el avión que está programado para ir a París cuando en realidad quieres ir a Hawái.

¿Estás programado para la pobreza o la riqueza? ¿Para la escasez o la abundancia? ¿Qué ideas tienes sobre el dinero? ¿Qué escuchaste cuando estabas creciendo acerca del dinero? ¿Recuerdas las frases que te decían cuando pedías dinero o cuando tus padres hablaban del tema? ¿Qué pasaba en tu casa cada vez que el dinero era el tema de conversación? Quizá escuchaste frases como:

- No tengo dinero.
- No hay, no alcanza.
- El dinero no crece en los árboles.
- Mañana te lo compro.
- El dinero llama dinero.
- El dinero es malo.
- El dinero es sucio.
- Hay que trabajar duro para ganarse el dinero.
- El dinero no te da la felicidad.
- Mejor ser pobre pero honrado.
- Es más fácil que un camello pase por ojo de una aguja que un rico entre al cielo.
- Los ricos son tacaños, se aprovechan de los pobres.
- El dinero envilece.
- Los ricos no van al cielo.
- El dinero cambia a la gente.

Con una programación como esta no es de extrañar los pobres resultados que la mayoría tiene en esta área. Estas ideas llevan directamente a perpetuar la pobreza. Si quieres resultados diferentes en el área financiera, es indispensable cambiar la programación de pobreza por una de riqueza, escasez por abundancia, no merecimiento por merecimiento, entre otras.

Empecemos analizando algunas de las ideas limitantes en torno al dinero.

- **No hay dinero**

  Cuando alguien dice esto se está refiriendo a que no tiene los billetes, el papel que representa el dinero. Sin embargo, si entendemos que el dinero es energía y la manera de conseguirlo es a través de las ideas, es sencillo cambiar la expresión por otra más productiva. La próxima vez que estés tentado a decir que "no hay", reemplázala por "voy a crear esa cantidad que necesito", "hay suficiente para todos y estoy aprendiendo cómo atraer el dinero a mi vida".

- **Soy pobre pero honrado**

  Implica que los ricos son deshonestos, a pesar de que hay millonarios sumamente honrados y pobres deshonestos, lo cual nos indica que la honradez no tiene conexión con la pobreza o la riqueza. Se puede ser rico y honrado al mismo tiempo. El dinero no hace deshonesto a nadie. Quien ya es deshonesto simplemente va a seguir siéndolo con o sin dinero. La creencia de que el ser rico te hace deshonesto lleva a que subconscientemente se tenga miedo de ser rico, pues conscientemente no deseas ser deshonesto. O sea que finalmente decides quedarte pobre para evitar convertirte en alguien deshonesto.

- **El dinero es sucio o malo**

  El dinero es "la raíz de todos los males", dice la gente, y en algunas ocasiones se menciona a la Biblia como la originaria de esta idea. Si lees la Biblia te darás cuenta que lo que realmente dice es "el amor al dinero es la raíz de todos los males". Ama a las personas y usa el dinero, en lugar de amar el dinero y usar a las personas.

  El dinero no es bueno ni malo. Es el uso que le des lo que puede llevarte a destruir o construir. Puedes usarlo para ayudar a mucha gente o para dañarla.

  Dave pertenecía a una compañía que le estaba dando un bono por $500.000 dólares. Un hombre maravilloso con 10 hijos y una esposa muy humilde. Es importante anotar que si nos referimos a humildad no estamos hablando de pobreza sino de sencillez. Él explicaba que cuando vivía en una casa móvil no le alcanzaba el dinero para suplir las necesidades de la familia, mucho menos para ayudar a los demás; su mente estaba usualmente ocupada pensando en el dinero. Ahora que había aprendido a crear dinero podía ayudar a muchos, empezando con su familia. Él y su esposa van cada año a Sudamérica y ayudan a construir escuelas.

- **Los ricos son tacaños y se aprovechan de las necesidades de los demás**

Un gran número de millonarios donan dinero para ayudar a diferentes causas. Hemos conocido pobres que son muy tacaños porque tienen mucho miedo de que no les alcance el presupuesto y están convencidos de que el mundo les debe y tiene la responsabilidad de suplirles sus necesidades. Igualmente hay pobres que son generosos y comparten lo que tienen, lo cual concluye que la generosidad o falta de ella tampoco está relacionada con el dinero en sí, sino con la idea que la persona tiene del dinero.

- **El dinero no te da felicidad**

¡Por supuesto que no! El dinero no nos hace felices pues no fue hecho para eso. El dinero se hizo para darnos comodidad. La felicidad está en tu interior. Lo cierto es que con el dinero podemos vivir cómodos y ofrecerles comodidad a nuestros seres queridos. Cuando somos felices atraemos el dinero con facilidad. Si nos sentimos miserables internamente, repelemos el dinero porque no podemos pensar con creatividad.

Recuerda que es a través de las ideas que creamos el dinero. ¿Quién se preocupa más por el dinero, la gente que tiene dinero o la que no lo tiene? El que no tiene piensa todo el tiempo en dinero. El pobre pasa buena parte de su día preocupado por la falta de dinero, se estresa pensando todo el tiempo: "¿Cómo voy a pagar las cuentas? ¿Cómo haré para alimentar a mi familia? Nunca me alcanza, la vida es injusta, trabajo y trabajo y siempre pobre". El estrés lo lleva a gritar, pelear y destruir las relaciones con las personas más queridas. El que tiene dinero, y entiende el concepto, se enfoca en seguir generando ideas, emplea su tiempo en crear, tiene tiempo para leer, viajar y ayudar a otros.

Algunos mencionan la Biblia cuando quieren probar que el dinero es malo. "Es más fácil que pase un camello por el ojo de una aguja, a que…". Estamos seguras que pudiste terminar la frase sin ningún problema. La conclusión que se deduciría de la frase es que debemos ser pobres para poder ir al cielo, si somos ricos entonces con seguridad nos vamos para el infierno, dice el silogismo aristotélico.

¿Crees que en verdad ese es el significado de la frase? Te invitamos a que investigues un poco sobre el origen y su verdadero significado. En la Biblia se habla con bastante frecuencia de riquezas en forma muy positiva. Varios pasajes se han tergiversado porque provienen de la tradición oral y cada quien interpretó como mejor le convino, por lo que cada quien lo utiliza según su percepción y se transmite para perpetuar la idea de que la pobreza es una virtud.

Te invitamos a que sigas revisando las ideas que tienes sobre el dinero y decidas si te van a ayudar a crear abundancia o escasez. En cada seminario que impartimos preguntamos si alguien tiene como meta llegar pobre al momento de su retiro. Hasta hoy no hemos encontrado una sola persona que responda que sí. Sin embargo la realidad es que con la programación que tiene la mayoría, las posibilidades de llegar a ser financieramente independiente al llegar a la edad de retiro, es mínima. Las coordenadas predominantes son de escasez y pobreza.

Antonio era muy conocido en el pueblo. Todos los días empujaba su carrito de compras y recogía basura, comía desperdicios y su casa estaba cayéndose a pedazos. Un día lo encontraron muerto en su casa y debajo del colchón descubrieron una fortuna. Tenía dinero pero había seguido viviendo como pobre porque pensaba como pobre. El sueño de muchos es ganarse la lotería, sin embargo, según las estadísticas, a un gran número de ganadores de la lotería les toma menos de un año gastar todo su dinero y quedar peor, financieramente hablando, que como estaban antes de tener esa fortuna.

Cambia tus ideas y creencias acerca del dinero, modifica tus coordenadas y así tus resultados cambiarán. Hablemos de manera práctica y sencilla de las dos formas básicas de crear dinero:

1- Hay una necesidad, tú la suples y eres compensado

Esta es la base de todos los negocios. La compensación está en proporción directa a la necesidad y a la cantidad y la calidad con que la suplas. La necesidad puede existir o puede ser creada. Por ejemplo, estás buscando trabajo como secretaria y encuentras una compañía que necesita de una, así que tú complementas esa necesidad y te compensan con un salario. Eso se aplica a cualquier trabajo.

Lo mismo ocurre en los negocios que se basan en suplir una necesidad y recibir compensación. Si alguien desea comenzar un negocio, necesita conocer y buscar las necesidades de mercado, o bien crearlas, y luego buscar la forma de suplirlas para así ser compensado. Cuanto más grande sea la necesidad, y mejor la suplas, mayor va a ser tu compensación. Si hay una necesidad y la suples únicamente a un grupo pequeño de personas, no vas a tener el mismo dinero que si lo haces para un grupo grande de personas. Pero si buscas la manera de llenar la necesidad de muchas personas, tu compensación se multiplicará.

Aquí vienen parte de las telarañas de la gente con esto: una persona ve una necesidad, abre su negocio y empieza a suplirla. El comentario de muchos es: "Se está aprovechando de la necesidad de los demás".

Las ideas crean dinero. Busca la manera de llenar alguna necesidad, ya sea física, emocional, espiritual o financiera y así estarás dando un paso para prosperar financieramente.

Cuando empezaron las modificaciones de las hipotecas, algunas personas vieron una oportunidad de negocio. Buscaron suplir la necesidad de la gente que no sabía cómo llenar los formularios ni hablar con el banco o la compañía financiera. Así surgieron algunos negocios. No faltaron los comentarios: "Ya se están aprovechando de la situación". Pero la respuesta es que hay quienes "están aprovechando la oportunidad de ayudar a otros y así generar dinero". Ahí estaba esa necesidad y hubo quienes supieron cómo suplirla.

Es cierto que algunos se aprovecharon de la ignorancia de la gente para robar y engañar. Pero esa es una forma equivocada de crear dinero. Usualmente no dura mucho o viene acompañada de estrés y otros problemas, a veces no necesariamente visibles para los demás. Mientras sigas las Leyes universales de la compensación, es un hecho que mereces una compensación por suplir una necesidad. La compensación monetaria debe ser igual o menor que el valor proveído. Cuando el costo que pones es más alto que el valor que estás dando, estás faltando a la Ley universal de compensación.

Infaliblemente vas a tener éxito si sigues las leyes universales. Imagínate que le vendes un libro a un amigo. Tu amigo te pregunta cuánto vale el libro. Lo que en realidad quiere saber es el costo. Le cobras $50 dólares. Él lo lee y encuentra una frase que lo inspira a cambiar su vida positivamente. ¿Cuánto valor tiene el libro? Va a depender del valor que le da tu amigo a su vida.

Ahora vas a casa de otra persona y le ofreces venderle ese mismo libro. La señora te explica que no sabe leer y que por tanto no le ve utilidad. Tú usas tus habilidades de vendedor y la convences de que te lo compre. Le dices que se lo vas a vender barato. Sólo le cobras $20 dólares, al fin y al cabo tu amigo pagó $50. La señora te lo compra y lo coloca en un estante y ahí se queda. Ella no lo puede leer. El libro no tiene ningún valor para ella. O sea, que la has engañado.

¿Irías al médico y le dirías: "Regáleme su trabajo porque yo estoy enfermo y usted no debe aprovecharse de mi enfermedad"? Es verdad que hay médicos que donan su tiempo, conocimiento y servicio, y lo hacen porque su consultorio tiene el número suficiente de pacientes y el ingreso económico necesario para poder apoyar a personas que lo necesitan.

Y qué te parece si vas al almacén y pides que te regalen la ropa porque es una necesidad tuya y se están aprovechando al vendértela. ¿O si esperas que te regalen tu carro o tu casa? En nuestra sociedad el dinero es un elemento de intercambio: servicio o producto por billetes. Por mucho tiempo fue trueque, servicio por servicio o un producto por otro. El sistema fue evolucionando hasta cambiar lingotes de oro por servicios o productos y hoy usamos los billetes, los cuales son sólo un símbolo.

Existe otro punto interesante. Algunos empleados dicen: "Mi patrón se está haciendo rico a mis costillas" y en respuesta llegan tarde a trabajar. Si la entrada es a las 8:00 a.m. ellos llegan a las 8:05 a.m. y se justifican diciendo: "El patrón no hace nada y se está haciendo rico". Luego trabajan con lentitud y cerca de la hora de salir, antes que sea el tiempo de terminar, paran todo el trabajo porque "no sé que estoy haciendo aquí, no me están pagando lo suficiente", "este trabajo no me gusta".

Si entiendes que el dinero es energía, piensa en la energía que estás mandando al Universo. Y por ley universal, lo que envías se te devuelve. Algunos de estos empleados sueñan con ser un día sus propios jefes y ya no quieren recibir órdenes. Tienen la esperanza de ser ellos quienes las dan y esperan aprovecharse de los demás al igual que su jefe lo hace ahora —según sus interpretaciones.

Un día la persona empieza su negocio y muy pronto descubre que además de invertir dinero, ahora necesita trabajar, no 8 sino 12, 14, o hasta más horas. Se da cuenta que tiene empleados que tienen ideas negativas de su persona y de su rol como propietario: ¡piensan lo mismo que él pensaba de su jefe!

En un buen número de casos la persona con esta manera de pensar termina cerrando el negocio antes de un año. ¿Por qué será? ¿Tiene mala suerte? Absolutamente no. La energía que tenía era negativa, el negocio se abrió por las razones equivocadas. Si piensas en servir, la compensación no se hará esperar.

Ahora bien. Analicemos otro punto. Quien comienza un negocio arriesga tiempo, esfuerzo y dinero para tener éxito. Usualmente ve los resultados pero no está consciente de las horas de trabajo que fueron necesarias para llegar a ese punto en que sólo necesita trabajar pocas horas y, en algunos casos, gana aún cuando no esté trabajando. Esa persona, además, está ofreciendo empleos y de esta forma da la oportunidad para aquellos que no saben o no quieren tener su propio negocio —los que prestan un servicio y son compensados como empleados.

Ernesto es un empresario originario de un pequeño pueblo en Oaxaca, México. Gracias a su dedicación y empeño cuenta con una compañía con base en Phoenix, AZ., donde trabajan por lo menos 30 empleados. Ernesto llamó a *Avante Seminar* para pedir entrenamiento para sus empleados porque tiene plena confianza en que educando a sus colaboradores su empresa va a expandirse más y mejor. Además tiene el propósito de que sus empleados lleguen a convertirse en empresarios al arrancar una franquicia que les dará independencia financiera. Él está dispuesto a compartir la información para lograrlo. Ernesto es un hombre emprendedor que confía en sus habilidades y está convencido de que la educación es la base de la superación, por eso invierte en su gente.

Es probable que algunos de sus empleados piensen que él está loco, que está perdiendo el tiempo, que gasta su dinero inútilmente porque creen que las personas no quieren superarse. Sin embargo Ernesto ha trabajado en su propio desarrollo personal y tiene claridad en sus objetivos, sabe que si invierte en sus empleados, la ganancia se multiplica en las áreas financiera y emocional.

Mauricio nos comentó que se había quedado sin trabajo porque su patrón tuvo que cerrar la compañía. Reconoció que su jefe había sido muy bueno y generoso, hasta cuando, debido a la crisis económica, tuvo que hacer recortes. Varios de los empleados se disgustaron y empezaron a comentar que el patrón quería "ganárselas de todas, todas", y que "se estaba aprovechando de ellos". Finalmente la compañía quebró y se quedaron sin empleos. Mauricio nos contó que siempre había hecho lo posible por trabajar de la mejor manera y por comprender la situación de su jefe. Unos días después lo volvimos a ver y nos dijo que estaba contento pues su exjefe estaba comenzando otro negocio y le había pedido que trabajara con él porque estaba agradecido y respetaba su ética de trabajo.

¿Has escuchado alguna vez a alguien quejarse de su trabajo y de su jefe hasta que un día de pronto lo ves triste y deprimido por haber perdido el trabajo que tanto detestaba y en donde se estaban aprovechando de él o de ella? Usualmente les sugerimos que celebren. Si te quitas de encima algo que te molesta, ¿no es motivo para festejar?

En Estados Unidos menos del 5% de la población llega a la edad del retiro, 65 años, siendo financieramente independiente. La manera de acabar con la pobreza no es fomentando la idea de que los demás deben cuidarlos, o de que el dinero y los ricos son malos. Vamos a disminuir y a lo mejor acabar con la pobreza cuando logremos educar a la gente y enseñarles que valen, que se lo merecen.

Cambiamos los resultados cambiando los programas mentales. Y el cambio lo hacemos dentro de nosotros. Si tienes hijos, sobrinos, familiares o amigos con ideas de escasez, edúcate financieramente y comparte la información con ellos; empieza a contribuir en la construcción de una generación diferente que entienda que el mundo no les debe nada, que ellos le deben al mundo. Una nueva generación de gente responsable con ideas de abundancia.

2. La segunda idea para crear abundancia financiera es dar

Es la otra forma de atraer dinero a nuestra vida. Si deseas algo, dalo. Si quieres amistad, ofrécela. Si deseas comprensión, comprende a los demás. Si es dinero lo que estás buscando, da dinero. Por ley universal, siempre que das, recibes. A lo mejor no lo ves físicamente en el momento, sin embargo sucederá.

Vamos a aclarar algunas cosas sobre dar. Cuando das, estás enviando un mensaje a tu subconsciente que dice: "Hay suficiente, me siento cómodo con el dinero, estoy agradecido".

Dijimos que lo que está en el subconsciente se convierte en realidad física tarde o temprano. Si en el subconsciente hay información de abundancia, entonces el resultado físico va a ser abundancia. La persona generosa tiende a ser también muy creativa. Y como dijimos que las ideas generan dinero, no es extraño ver que, al contrario de la creencia popular, las personas ricas tienden a ser generosas. Es frecuente escuchar a la gente decir que van a donar dinero si les alcanza, o cuando les sobre. Debido a la mentalidad de escasez, nunca sobra. Y de esta forma están simplemente reforzando las ideas de "no hay, no alcanza".

Por siglos se ha hablado del diezmo. Fuera del contexto religioso, el diezmo es simplemente dar el 10% de lo que ganas para el crecimiento espiritual de la humanidad. Hay muchas formas de ayudar a mejorar la espiritualidad del mundo. Si participas activamente en un grupo religioso, puede ser este el sitio donde prefieres donar tu dinero. Sin embargo, —desde nuestro punto de vista— lo importante es que sea para el crecimiento espiritual del mundo.

Una de las maneras de mejorar nuestra espiritualidad es a través de la verdadera educación, no sólo la académica, también la educación para la vida.

Practica el siguiente ejercicio:

Extiende tus brazos. Cierra las manos y mantenlas cerradas. Si alguien te va a dar algo cuando estás en esa posición, ¿qué sucede? No lo puedes tomar, no lo puedes recibir. Ahora bien, ¿qué pasa si tú abres la mano? ¿Lo puedes recibir? ¡Sí, y también puedes dar!

Existe la tendencia a cerrar tu mano nuevamente tan pronto recibes y entonces sucede que no puedes recibir más porque estás bloqueando el flujo de energía. Para dar y recibir es importante mantener una posición abierta. Y esto es válido para todas las áreas de nuestra vida. Cada vez que sientas que "no hay, no alcanza", piensa en esto: tú decides si vas a abrir o a cerrar.

Siempre que des, pon atención a lo que sientes. Si das sintiendo miedo, inseguridad, rabia, entonces el mensaje que envías al subconsciente es opuesto a lo que reflejan tus acciones.

El lenguaje del subconsciente son las emociones. Es la emoción la que queda impresa a nivel profundo. Da con alegría, con agradecimiento, con amor. Con frecuencia escuchamos a la gente preguntar si el diezmo se calcula antes o después de pagar impuestos. La respuesta que les damos es que no están listos para dar.

Puede ser que empieces dando sólo un 1%. Lo importante es la emoción con la cual das. El diezmo también se paga con servicio comunitario. En la comunidad latina lamentablemente no hay todavía la cultura del servicio. Estamos más acostumbrados a que nos den, "que nos mantenga el gobierno". Y realmente con el hecho de estar vivos tenemos la oportunidad de agradecer y devolver a través del servicio comunitario.

Una de las experiencias que tienen los participantes de los programas de *Liderazgo* es hacer servicio comunitario. Al principio —como no están acostumbrados— lo perciben como un castigo, como una actividad que "tienen que hacer". Sin embargo el cambio es prácticamente instantáneo al comprobar lo sencillo que resulta hacer la diferencia en la vida de los demás y por supuesto, también en la propia.

Acciones sencillas, como llevar agua embotellada donde se reúnen personas que carecen de un hogar o hacer una dinámica para dar "abrazos gratis", logran un impacto en ambos lados. Dar abrazos en lugares públicos con letreros en inglés y español es una de las experiencias más gratas y eficaces para remover muchas de las marañas mentales. La experiencia ha demostrado que son los niños los que no tienen ningún reparo en dar y recibir los abrazos. Algunos adultos los rechazan y otros los agradecen de corazón y llegan a afirmar: "Gracias, realmente lo necesitaba, han hecho una gran diferencia en mi vida". Dar abrazos es gratificante. Además ¡son gratis!

Aquí vale la pena recordar algo que ya habíamos tocado en páginas anteriores: cuando das inhabilitando a alguien, no estás dando, estás quitando.

Rosa y sus hijos Marco y Ricardo participaron en nuestro seminario de cuatro días. Rosa compartió el hecho de que siempre había hecho todo por ellos: les cocinaba, lavaba y atendía todo el tiempo.

Además atendía el negocio de la familia y sentía que sus hijos —que ya eran adultos— no reconocían su esfuerzo y, al contrario, le echaban en cara situaciones del pasado. Ella creía que sus hijos eran unos desagradecidos. Estaba confundida pues no lograba entender por qué sus hijos se mostraban resentidos con ella y su esposo.

Rosa comprendió en poco tiempo que si se da lo que la persona podría conseguir por sí misma o se hace por dicha persona lo que ella es capaz de hacer por sí sola, se le está enviando el mensaje de que no hay confianza en su persona ni en sus habilidades, y por eso tú, —que eres mejor y sabes más— tienes que venir al rescate.

A nivel profundo, el mensaje que le estás dando es: "Como eres tan inútil y no eres capaz de hacerlo, yo lo voy a hacer por ti". Por esa razón, ayuda a los demás permitiéndoles que crezcan, que tengan sus propias experiencias. Ten fe en la habilidad de otros, ya sean tus hijos, tu pareja, tus amigos o tus socios.

Recuerda que cuando das inhabilitando, no estás dando sino quitando.

Maraña:
Hay obstáculos en mi camino

Cambio:
Siempre encuentro apoyo

Cuando expresas tus deseos en voz alta

—quizá con la esperanza de encontrar apoyo— te topas con variedad de respuestas. Cada persona tiene una sugerencia diferente. Observa algunos ejemplos:

Dices cosas como: "Quiero cambiar de trabajo", "Empezar a estudiar", "Quiero viajar", "Quiero casarme", "Quiero divorciarme". Y escuchas:

- ¿Estás loco?
- No tienes dinero.
- No tienes tiempo.
- No eres lo suficientemente bueno.
- No estás preparado.
- Eso es para gente inteligente.
- Eres muy lento o muy rápido.
- Eres muy viejo o muy joven.
- No estás legalmente en este país.
- Estás siendo egoísta, piensas sólo en ti.
- Ya antes lo has intentado y no te funcionó.
- Sé realista, aterriza, deja de soñar, bájate de esa nube.
- Y muchas más.

Esas frases usualmente vienen de las personas más cercanas y, por lo general, con buena intención. En el fondo quieren protegerte, tienen miedo de que sufras y hablan desde sus experiencias, reflejando sus dudas y sus miedos. Sin embargo se convierten en tu mayor obstáculo cuando las escuchas, y en ocasiones te sirven de excusa para así no reconocer tus miedos.

¿En cuántas ocasiones has sido tú quien has dicho estas frases? ¿Con qué frecuencia te conviertes en tu propio obstáculo? No crees en ti, tienes dudas de tus habilidades, miedo a fracasar o a triunfar, al qué dirán los demás, a defraudar a otros.

Menos mal también encuentras a otra gente que tiene una actitud mental positiva y que te dice:

–   Buena idea, ¡claro que puedes!
–   Sigue adelante, ¡arriésgate!
–   ¡Sueña! ¡Imagina! ¡Cree!
–   El que no arriesga, no gana
–   Equivocarse es necesario para aprender.
–   El dinero lo consigues.
–   El tiempo lo organizas.
–   La edad no importa si tu deseo es lo suficientemente fuerte.

Son esas personas que te apoyan, te animan, te empujan, confían en ti porque confían en sí mismas. ¿A cuál de los dos grupos escuchas? Si te enfocas en los obstáculos, en las razones para no hacerlo, en el problema, en lo negativo, en lugar de ver las razones por las cuales lo debes hacer, las soluciones, lo positivo, vas a terminar frustrado, fracasado, viviendo a medias, vegetando o desperdiciando tu vida para sobrevivir.

¿Eres obstáculo o apoyo para quienes te rodean? ¿Los animas o los desanimas? ¿Eres obstáculo o apoyo para ti mismo?

Naces libre, sin límites, no ves los obstáculos, aceptas la ayuda y ayudas a los demás sin condición. Por esta razón alcanzas tus metas, logras todo lo que quieres. Cuando un niño empieza a caminar, por ejemplo, nunca considera el riesgo de caerse y lastimarse. No se le ocurre que no va a poder hacerlo. El niño simplemente empieza poco a poco a dar pasitos, acepta la mano de mamá, papá, o de cualquier persona que lo quiera ayudar. Y así en poco tiempo, no sólo camina sino que corre.

Más adelante, en su proceso de crecimiento ese niño pide ayuda y alguien le dice: "Hazlo tú solo, no necesitas a nadie, a los demás no les importan tus problemas, arréglatelas, ¡ya estás grandecito!". Y así poco a poco ese niño se convierte en el "Llanero Solitario" y es capaz de sobrevivir por sí mismo. O puede ocurrir lo contrario, que a medida que pasan los años siempre hay alguien que hace las cosas por él, que le resuelve, le soluciona todos sus problemas y lo convierte en una persona insegura y dependiente que cree que no puede hacer las cosas por sí mismo y depende de otros para tomar decisiones porque necesita que lo apoyen en todo.

Otra posibilidad es que lo hayan entrenado para estar siempre ayudando a los demás mientras que este individuo se olvida completamente de sí mismo. En ese caso suele ser el tipo de persona que constantemente les está resolviendo la vida a los otros mientras su propia vida es un desastre y por ende se siente frustrado, solo, incomprendido, usado y sin saber decir no, dejando sus sueños a un lado para vivir los sueños de otros.

Cristina era una de esas personas que trabajan mucho, atienden a todos y se quedan sin nada. Estaba frustrada porque desde pequeña se dedicó a atender a sus hermanos menores y nunca tenía tiempo para sí misma. El patrón se seguía repitiendo aunque ella y sus hermanos eran ya adultos. Cristina comprendió que tenía una enorme necesidad de reconocimiento y aceptación, por lo que pasaba el tiempo buscando la manera de ayudar a otros para recibir afecto.

Después de trabajar intensamente en su desarrollo personal, Cristina es capaz de decir *no* con amor, sin culpa y poniendo límites. Esto no le ha agradado mucho a sus hermanos, quienes la tenían como proveedora de servicios y dinero, sin embargo Cristina ahora se siente satisfecha por los logros alcanzados y sigue trabajando día con día para mejorar.

Para llevar una vida balanceada es importante hacer inventario de tus cualidades y tus debilidades. Tradicionalmente te han enseñado que trabajes en tus debilidades y mejores tu vida. Te proponemos una idea diferente: maximiza tus habilidades y busca la forma de compensar tus debilidades.

Como seres sociales, necesitamos unos de los otros. Es un mito decir que somos completamente independientes. En realidad ser interdependientes es más saludable y realista.

Ángel es un joven brillante que nos dijo enfáticamente que "él se había hecho solo y que no le debía nada a nadie porque tenía una beca estudiantil y con eso estaba saliendo adelante". En realidad tenía mucho dolor porque sus padres se divorciaron y al papá apenas lo vio algunas veces. Guardaba un enorme resentimiento contra ambos. Lo cierto es que Ángel recibió mucho cariño y apoyo por parte de su familia. Vivía en una casa linda, su madre era profesional y trabajaba arduamente para generar suficiente dinero. Ángel tenía automóvil, computadora y celular desde varios años atrás. Financieramente no tuvo carencias —gracias al esfuerzo de su madre—. Pero desde el punto de vista emocional sí tenía grandes agujeros y por ese motivo aseguraba no necesitar de nadie.

Si analizamos el escenario, podemos asegurar que alguien te cuidó cuando eras bebé —tus padres, abuelos, tíos, padrinos y madrinas o padres y madres adoptivos—. Sin ellos no habrías sobrevivido; alguien te educó —aún siendo autodidacta, usaste los libros que alguien escribió— y si empezaste a trabajar joven fue porque alguien te dio trabajo, te pagó, sembró las frutas y vegetales que comes, fabricó la ropa que usas; si tienes negocio dependes de tus clientes; si eres empleado es porque alguien invirtió tiempo, esfuerzo y dinero para crear la empresa en la cual trabajas, etc. Lo cierto es que somos seres interdependientes, nos necesitamos mutuamente y definitivamente estamos conectados —no solo por el internet— sino que tenemos conexiones a nivel energético.

Si usas tus fortalezas y te asocias o haces alianzas con personas que tengan las habilidades que tú no tienes, vas a triunfar y ser feliz. Es una forma inteligente de trabajar.

Aprende a pedir apoyo. No esperes que los demás adivinen tus pensamientos ni tus deseos. Expresa tus gustos y necesidades. Dales la oportunidad de que te apoyen como tú necesitas. Y si ellos no están en condiciones de ayudarte como quieres, respeta su decisión y busca ayuda en otro lugar. Sé humilde y ábrete a la posibilidad de que la otra persona te pueda ayudar en forma distinta. Si lo que has hecho hasta el momento no te ha funcionado, te serviría probar algo diferente. Ayuda y déjate ayudar.

Es frecuente ver parejas, socios o amigos que tienen problemas por sus diferencias. Lo interesante es que fue por esas diferencias que se atrajeron mutuamente y las que pueden convertirse en el catalizador para un éxito extraordinario.

Marcela es una mujer alegre, social, con facilidad de palabra, extrovertida. Le encantan las fiestas, mientras que su marido es callado, introvertido, disfruta hablando con las personas, pero una por una. Marcela quería que él fuera igual de sociable y se frustraba porque él no socializaba como ella lo hacía. Los dos estaban trabajando en su desarrollo personal. Un día, en una fiesta, ella estaba un poco disgustada porque él se había alejado del grupo y después de un rato salió del salón a observar a la gente. Es una de las actividades que él disfruta. Un joven del grupo salió también por un momento y se pusieron a charlar. El joven necesitaba desahogarse y estaba buscando ayuda. Su esposo fue esa ayuda, ese apoyo que el joven necesitaba.

Cuando Marcela se enteró empezó a comprender que Dios nos usa a su manera y que cuando nos aceptamos y aceptamos a los demás como son, nos podemos convertir en un gran apoyo en lugar de un obstáculo.

En alguna ocasión has preguntado a aquellos que están cerca de ti ¿cómo te puedo apoyar? O simplemente los apoyas como supones que ellos desean o como decides que quieres hacerlo.

Vive la vida sirviendo, animando, ayudando a los demás. Crece y ayuda a otros a crecer. Cree y facilítale a otros el creer. Aprende y enseña. Ayuda y pide ayuda. Evita convertirte en obstáculo para los demás y para ti mismo.

Maraña:
Bájate de la nube

Cambio:
Visualiza lo que quieres

Cuando definas lo que quieres en cada aspecto de tu vida es recomendable que no sólo lo escribas sino que lo plasmes —según tus habilidades— en una pieza tangible y atractiva a tus ojos. Visualizar es una técnica a través de la que se llegan a alcanzar condiciones emocionales deseables.

Esta forma de programación mental se ha utilizado con mucho éxito en deportistas que desean mejorar su rendimiento —además de la práctica física—. Incluye terapias de visualización donde ellos se ven a sí mismos consiguiendo romper marcas, subiendo al pedestal del primer lugar y logrando hazañas extraordinarias.

Lo que la mente logra ver, lo convierte en realidad física. Por eso es importante que visualices lo que quieres lograr en las cuatro áreas de la vida: emocional, física, financiera y espiritual.

Una de las dinámicas que utilizamos para lograr este propósito entre los asistentes a nuestro seminario es que hagan un "collage", —que en español significa pegar. Es una forma de arte visual hecha por el ensamble en una cartulina de varias formas, imágenes y texturas que derivan en una creación única y original. Los materiales pueden obtenerse de revistas, periódicos, fotografías, listones, papeles de colores, letras, monedas, etc. Todo lo que la imaginación desee.

El propósito es que busques imágenes de lo que te gustaría atraer a tu vida, incluidas las emociones: felicidad, paz interior, armonía, amor, alegría, que te llevarán a conseguir los bienes materiales que has soñado: una casa lujosa, un automóvil deportivo o familiar, vacaciones, dinero, éxito profesional, pareja, hijos y comida saludable, entre otras cosas.

Si tienes pensamientos de escasez, es el momento de descartarlos para dar vuelo a tu imaginación a través de lo se llama el "Mapa de la prosperidad", "Mapa de la abundancia" o "Mi futuro deseado". Es importante que las imágenes reflejen lo que quieres desde tu interior hacia el exterior. El diseño no tiene ningún orden en particular, no hay secuencia y ni siquiera tiene que tener imágenes que estén ligadas entre sí. Agrega también tu nombre y afirmaciones positivas como "Yo soy líder" "Yo soy inteligente y capaz", "Yo soy sexy", "Yo soy amigable", "Yo soy buen padre", "Yo soy buena hija". Las afirmaciones deben escribirse siempre en tiempo presente y en forma positiva. Recuerda que la palabra *no* queda descartada. Se trata de que *veas* lo que quieres lograr y lo plasmes. Debes colocar tu collage en un sitio donde diariamente lo veas.

Un collage te ayuda a orientar tus metas, te facilita definir lo que es importante para ti; no hay una ruta definida ni un camino pero al visualizar tu idea sabes a dónde quieres llegar. Esta herramienta es particularmente efectiva para quienes son visuales, sin embargo a los auditivos y cinéticos también les ayuda a enfocarse. Si alguien quiere agregar movimiento a la obra, puede colocar listones de forma que se agiten con el aire.

Cuando tengas tu futuro plasmado en el collage, ya sabes que debes colocarlo en un sitio donde puedas verlo todos los días. Uno de los participantes nos comentó que lo había colocado en el techo de su cuarto, así que cada mañana al despertar, veía su mapa de la prosperidad y sonreía.

Si hay algo que no hayas agregado y de pronto aparece en tu mente, búscale un espacio o incluso salte del área de la cartulina, para que te des la oportunidad de seguir creciendo. La invitación es que empieces a construir tu futuro desde el presente.

Maraña:
Todos están en mi contra

Cambio:
Yo decido mi destino

El ambiente que te rodea influye de manera determinante en tu actitud, pero sólo si tú

lo permites. Hay quienes se ponen de mal humor si hace calor y a otros los ponen tristes los días nublados. Estamos acostumbrados a darle el control de nuestra vida al mundo exterior. Si tienes dinero estás feliz, si no lo tienes, andas de mal genio; si estás enfermo, te deprimes; si tienes salud ni cuenta te das. Lo cierto es que no podemos controlar algunas de las cosas que nos rodean —como la desaceleración económica, los cambios atmosféricos, entre otros—, pero sí podemos tener el control sobre la actitud con la que enfrentamos las situaciones.

En vez de estar esperando a que las cosas cambien, es tiempo de cambiar. Haz caso de esa voz interior que te dice ¡Adelante! en lugar de escuchar las voces multiplicadas de quienes ya se conformaron y viven quejándose. Ellos lo van a seguir haciendo. Sin embargo, tú decides si los quieres escuchar. El único que tiene control sobre tus propias emociones eres tú, y si necesitas ayuda, búscala.

Una forma de empezar a hacer cambios sustanciales en tu estado anímico es revisando tu colección de música. ¡Así como lo oyes! Echa un vistazo a las canciones que has almacenado y las que con frecuencia escuchas. Si eres de los que tienen toda la colección de José Alfredo Jiménez y Vicente Fernández, donde la amargura, traición, dolor y las botellas de alcohol se dan un mano a mano, necesitas hacer una limpieza musical. Los narcocorridos han encontrado también cobijo entre quienes se sienten identificados con el personaje que, siendo pobre, llegó a convertirse en "poderoso" a fuerza de balazos y muerte. Paquita la del Barrio es una mujer maravillosa que con sus canciones ha dado voz a muchas mujeres para desquitarse de las "ratas de dos patas".

En una ocasión, mientras hacíamos un taller, la hija de una de las participantes esperaba en el salón contiguo y se entretenía escuchando música a través de los audífonos. De pronto la sesión se interrumpió porque la pequeña empezó a cantar a pleno pulmón: "*Alimaña, culebra ponzoñosa, deshecho de la vida, te odio y te desprecio, rata de dos patas te estoy hablando a ti...*".

La mamá se disculpó por la interrupción, lo que nos dio la oportunidad de hablar de los contenidos en los medios de comunicación que se almacenan en el subconsciente. La niña, de apenas nueve años escuchaba las canciones que su mamá tenía en casa. Para ella la letra no tenía ningún sentido, quizá ni siquiera la entendía pues hablaba más inglés que español, sin embargo las ideas de despecho, traición, insultos y venganza ya estaban sembradas a través de una canción.

Lo mismo sucede con las telenovelas donde los antivalores principales son por el mismo estilo: odio, venganza, traición, culpa, castigo y resentimiento. Es común presenciar escenas en que hay golpes, insultos, malos tratos y múltiples actos de violencia doméstica, donde los hombres golpean y gritan a sus parejas.

Estela pasó un tiempo en un refugio para mujeres que han sufrido violencia doméstica y comentó que ella ni siquiera se había dado cuenta de que era una víctima hasta que un día leyendo un artículo en el periódico se percató de los síntomas de violencia intrafamiliar. Descubrió que no sólo soportaba golpes físicos sino psicológicos, así como manipulación y control financiero. Estela recordó que en su casa su padre golpeaba y gritaba a su madre y la mantenía corta de dinero para que "no se le saliera de control". Ella se había casado con un hombre igual, por lo que pensó que era normal. Lo extraordinario del caso es que compartió el hecho de que ella veía telenovelas y en muchas escenas los hombres siempre se aprovechan de la mujer, ya sea con violencia física y/o verbal. "Yo creía que eso era también normal porque salía en la televisión", dijo Estela.

El mensaje que se está enviando a nivel subconsciente es que la violencia es normal, que al igual que en casa se gritan, se golpean, arrojan cosas y mienten, en las telenovelas también sucede, por lo tanto es un reflejo de la realidad. Eso es lo que aprenden las niñas y niños a través de los dramas televisivos. A eso súmale la variada gama de información que se obtiene en internet y a través de los juegos de video.

Haz una revisión de lo que tu mente está almacenando y de lo que tus hijos también guardan. Si lo decides, puedes hacer cambios sustanciales al escoger música que te aliente a ser mejor persona, a salir adelante, a alcanzar tus sueños. En el mercado musical hay infinidad de temas de autoayuda; hay cantautores de renombre internacional que comparten sus ideas por un mundo mejor. Además, en lugar de invertir horas y horas frente al televisor, la computadora o de la mano de los juegos de video, sal a caminar, haz ejercicio, conversa con tus hijos, con tu pareja. Apaga todo aparato electrónico mientras están juntos. ¡Por supuesto que también el celular! Escucha y mira contenidos edificantes que hablen de progreso, armonía y paz, en lugar de traición, cobardía y asesinatos.

Cuando sientas que tienes la "pila baja", escucha música gratificante o lee algunas páginas de un libro de motivación y desarrollo personal. También existen muchos audiolibros para que hagas de lado la excusa de que no te gusta leer.

Lo cierto del caso es que el único responsable de tu estado de ánimo eres tú. Ayúdate a ti mismo, ¡Eres tu mejor médico y psicólogo! O puedes seguir culpando a otros de tus resultados, integrarte al club de enfermos de "victimitis aguda", señalar, juzgar, criticar y justificar la mediocridad.

La mejor creación de la humanidad está leyendo este libro: ¡tú! Así que tú eres capaz de hacer cambios en lo que estás pensando, en lo que sientes y por lo tanto en tus resultados. Es posible que esos ajustes te parezcan insignificantes, sin embargo los grandes cambios se dan con pequeñas acciones, una a la vez.

Si has escuchado la frase: "Eres el arquitecto de tu propio destino", presta atención, porque es verdad. No olvides que eres el único responsable de tus resultados. Puedes programar tu mente para fracasar o para triunfar.

Maraña:
La vida es drama

Cambio:
La vida es aprender del drama

En este libro hemos querido plasmar las enseñanzas y aprendizajes del seminario *El desafío de cambiar tu vida*, un intenso programa de cuatro días de duración donde los participantes se dan la oportunidad de ver lo que les funciona y no les funciona para empezar a hacer sus cambios.

Sin embargo, no se trata de un documento exacto de los temas y los procesos. Hay muchas dinámicas en el programa que hemos descartado en este texto porque hay que llevarlas a la práctica para entenderlas.

Durante los procesos emanan emociones y describirlas en un libro resulta limitante. Nuestra meta es brindarte herramientas para que empieces a mirar dentro de ti. El objetivo es hacer los primeros ajustes a través de la lectura de este material. La invitación es para que muy pronto decidas hacer cambios sustanciales participando en nuestro seminario.

Lo que haremos a continuación es compartir contigo algunos de los momentos en que las personas se dan cuenta de cómo empezar a hacer los cambios a través de la reinterpretación de los hechos. Como dijimos anteriormente, los hechos ya pasaron y no los vas a poder cambiar, forman parte del pasado. Lo que sí es posible hacer es cambiar la interpretación que te causa sufrimiento por una que te dé paz interior.

He aquí algunos ejemplos donde X es el o la participante y A es *Avante*:

X– Usualmente no expreso mis sentimientos y cuando estoy en alguna situación, aun sabiendo la respuesta, no respondo.

A– ¿Por qué no expresas lo que sientes?

X– Me da miedo, siempre me pasa, así he vivido. Muchas veces quiero hacer algo y no tengo el valor para decirlo o para hacerlo. Me da miedo equivocarme y que la gente se disguste conmigo.

A– ¿En qué momento de tu vida empezaste a tener miedo?

X– Siempre lo he tenido.

A– Te aseguro que cuando eras un niño no tenías miedo. A los 3, 4, 5 años eras audaz, valiente y no medías las consecuencias, eso es lo que hacen los niños: se lanzan sin temor. ¿Cuándo empezaste a tener miedo?

X– Yo soy adoptado, no conocí a mi padre. Yo considero a mis papás —los que me criaron— como mis padres. Mi papá nunca me pegó pero mi mamá era más estricta.

A– ¿A qué edad te enteraste que eras adoptado?

X– Desde que tengo memoria.

A– ¿Recuerdas qué sentiste al entender lo que era ser adoptado?

X– Me preguntaba: ¿Por qué lo habrán hecho? ¿Por qué no se quedaron conmigo? ¿Sería que hice algo malo? ¿Por qué no me querían? En mi adolescencia conocí a mi mamá biológica, aunque no sentí que yo le interesara porque habló conmigo sólo como tres veces.

A– ¿Qué sentiste cuando supiste que tus padres biológicos te abandonaron?

X– Me sentí triste y con miedo. Pensaba que quizá había hecho algo malo y me daba miedo pensar que mis papás de crianza también podían abandonarme. Con frecuencia me preguntaba: ¿Y si ellos tampoco me quieren, como mis padres verdaderos no me quisieron?

A– El niño de cinco años está tomando decisiones. ¿Cuáles fueron esas decisiones?

X– Quiero llamar la atención haciendo las cosas bien y calladito para que me quieran. Prefiero no hablar para que no se disgusten conmigo porque no quiero que me abandonen.

A– Pensaste que mientras estuvieras quieto, en silencio, siendo un buen muchacho, te iban a querer. Porque según tu interpretación, habías hecho algo malo y por eso tus papás biológicos no te quisieron. Ahora vamos al adulto, porque ya no eres un niño. ¿Fuiste culpable en verdad de que tus papás hayan decidido entregarte a otra familia? ¿Hay alguna posibilidad de que un niño pequeñito sea culpable?

X– No, definitivamente no, pero eso fue lo que pensé.

A– Vamos a reinterpretar este episodio de tu vida. Existe la posibilidad de que tu mamá te entregara a otra familia porque te quiso tanto que prefirió darte la oportunidad que ella pensaba que no podía ofrecerte. Te dio la opción de tener un mejor hogar y las cosas que un niño necesita para crecer bien. ¿Es factible que en lugar de que "no te quisiera", la realidad fuera que "te quería tanto" que fue capaz de desprenderse y entregarte a otra persona porque sintió que ahí ibas a estar mejor?

X– Es posible, nunca lo había pensando así porque era demasiado doloroso tan sólo recordar que me abandonaron. Creo que ella era apenas una adolescente cuando se embarazó.

A– O sea que era una adolescente al convertirse en mamá. ¿Te imaginas el miedo que sintió con la responsabilidad de ser madre a tan temprana edad? Considerando además que en nuestra cultura se juzga fuertemente a una mujer que queda embarazada sin estar casada, ¿puedes entender la carga emocional tan pesada que ella seguramente tenía?

X– Estoy seguro que ella quería para mí una mejor posición de la que me podría ofrecer.

A– Mirándolo desde otro punto de vista, desde que naciste has sido un niño al que han querido muchísimo, que no ha hecho nada malo, que tiene derecho y merece ser feliz; que no necesita permitir que abusen de él ni quedarse callado y atrás para que lo quieran. Que puede salir adelante, equivocarse y de todos modos lo van a seguir queriendo. Entonces ¿qué vas a hacer diferente?

X– En primer lugar tener el valor de hacer las cosas, hacer lo que quiero hacer a pesar del miedo porque sí soy capaz. Ahora entiendo que mis miedos son viejos pero seguía aferrado a creer que por ser adoptado no tenía derecho ni a hablar.

En la etapa infantil se hacen interpretaciones de los hechos que suceden y se toman decisiones basadas en ellas. Usualmente son interpretaciones acerca de ti mismo, de tu valor como persona. Y así tomas decisiones buscando protegerte del dolor o para conseguir amor.

El niño piensa que las cosas que suceden, como sobreprotección, violencia doméstica, alcoholismo, abuso sexual, peleas y discusiones de sus padres, o un regaño, son su culpa. Siente que hizo algo mal, que hay algo erróneo en él, que no lo quieren, que lo abandonaron o lo rechazaron y que tiene que cumplir las expectativas de los padres para que lo quieran.

Estas y muchas otras deducciones pasan por su cabeza basadas en su corta experiencia. Por ello hace decisiones que controlarán el resto de su vida. Por ejemplo, el niño decide que mejor se queda callado para que no haya problemas, pensando que así se va a ganar el cariño de los demás. Continúa toda su vida siendo una persona callada y permitiendo que otros abusen de él —o ella— con la esperanza de ser aceptado y amado algún día. A esto se debe que los niños sean candidatos maravillosos para vivir en situación de violencia doméstica.

Otros, por el contrario, deciden que no se van a dejar, que no van a permitir que nadie se aproveche de ellos y se vuelven agresivos y están siempre a la defensiva. Esa es su forma de protegerse y los vemos todos los días disgustados, arrugando la cara, manteniendo a los demás a distancia para que nadie los hiera. En el interior no sólo hay rabia sino también mucha tristeza porque al final de cuentas una persona triste guarda mucho resentimiento —furia— y una persona furiosa tiene una profunda tristeza; sólo se cobijan con un aparente disfraz.

Hay quienes deciden protegerse a través de las bromas y chistes pretendiendo que "les vale" para no sentir dolor. En las escuelas, esta clase de niños por lo general es amigable, habla mucho y cuando crece siguen haciendo lo mismo. Ellos no hablan de sus problemas, pretenden no sentir y se ponen una máscara de felicidad. Son los que más usan el mecanismo de "olvidar" su pasado como forma de protección.

En buena medida, esta es la explicación de nuestra forma de actuar. Seguimos cargando las emociones del niño de cinco años y, según los expertos, nos volvemos adictos a ellas. Si logras descubrir a cuál emoción eres adicto, has dado un gran paso para tu sanación.

***

Habla otro participante:

X— Usualmente no pongo atención a lo que hago y me empieza a dar coraje cuando siento que no soy capaz de hacer las cosas. Me desespero con los demás y les grito. No me gusta estar en frente y critico mucho a los otros. Siempre dejo que los demás hagan las cosas que yo puedo hacer y grito mucho, me lo dice mi esposa.

A— ¿Por qué gritas?

X— Me frustro. Y con mis hijos lo hago porque sólo escuchan cuando les grito.

A— Ya se acostumbraron, los has condicionado. ¿Por qué tanta frustración? Mira hacia atrás porque ese sentimiento no es gratuito. Viene de algún lado y usualmente es de la niñez. ¿Qué pasó?

X— Fui el más chico de mis hermanos y recuerdo que mi papá llegaba borracho a la casa y les pegaba a mis hermanos y a mi mamá. A mí no me pegaba posiblemente por ser el más pequeño.

A— ¿Qué sientes al recordar esos eventos?

X— Me siento impotente, con mucha rabia, con ganas de gritar pero no puedo porque me da miedo.

A— ¿Contra quién sientes rabia?

X— Contra mi papá. No logro comprender por qué golpeaba a mi mamá. Y también contra mis hermanos pues no la defendían ni se defendían.

A— Estoy hablando con el niño. ¿Y tu mamá?

X— Mi mamá sufría mucho. Sin embargo, pensándolo bien, me daba coraje con ella porque permitía el abuso. A veces deseaba ser grande para matar a mi padre y que mi madre fuera libre. Un día me enfrenté a él y mi mamá se metió para defenderlo. ¡Me dio tanta rabia!

A— ¿Y qué sucedió?

X— Mi papá no me hizo nada pero recuerdo que les pegó a mis hermanos y yo me sentí muy culpable. Si no me hubiese enfrentado a mi papá, las cosas se habrían calmado.

A— ¿Qué decidiste hacer?

X— Pensé que era mejor quedarme callado porque cuando hablé todo se complicó. No quería que mi madre ni mis hermanos sufrieran y después no me quisieran. Cuando había estado escondido y callado, en otras ocasiones, la situación no había sido tan fea. Sin embargo, cada vez que me quedo callado siento una presión horrible en el pecho y prefiero gritar.

A— Y sigues haciendo lo mismo hoy, siendo ya un adulto.

X— Sí, lo sé. Yo prometí que nunca golpearía a alguien más débil que yo y a veces tengo tantas ganas de golpear que siento miedo, por eso prefiero gritar. Además, en otras ocasiones más bien quisiera llorar.

A— ¿Y lloras?

X— Por supuesto que no. No quiero que me vean llorar, van a pensar que soy estúpido, débil, gay.

A— ¿Y si gritas?

X— Los niños obedecen y los demás se alejan de mí. Si están lejos ya no me pueden lastimar. La verdad es que me da rabia conmigo mismo por ser tan cobarde.

A—¿Por qué dices que eres cobarde?

X—Pues nunca más volví a defender a mi mamá. Y la verdad es que sentí miedo.

A— ¿Cuántos años tenías?

X— Alrededor de seis.

A— Vamos a reinterpretar la misma situación. ¿Crees que un niño de seis años está en condición de enfrentarse a un adulto sin salir lastimado?

X— No. Mi papá era muy grande y fuerte. Si mis hermanos mayores y mi mamá no podían con él, menos yo.

A— ¿Entonces realmente eres un cobarde? O ¿simplemente actuaste como lo haría un niño de tu edad? Y en cuanto a tus padres, ¿sabes un poco de su historia?

X— Mi papá fue golpeado con frecuencia por su papá y por su mamá también. Recuerdo que comentaba que no tuvo niñez y que empezó a trabajar a muy temprana edad. En cuanto a mi mamá, ella era la menor de los hijos y también había violencia en su hogar.

A— Comienzas a entender que ellos sólo te dieron lo que tenían e hicieron lo mejor con lo que sabían. Como muchas personas, estaban repitiendo la historia tal como tú lo estás haciendo ahora. ¿Qué crees que sienten tus hijos cada vez que gritas?

X— Miedo. Me duele aceptarlo, sin embargo ahora entiendo que ellos me obedecen no por respeto sino por miedo. Sé lo que sienten. Sentí ese miedo por mucho tiempo y todavía lo siento cuando estoy en una situación que no sé como manejar. Y supongo entonces que mi esposa también me tiene miedo.

A— Sería bueno que hablaras con ella y le preguntaras.

X— Lo haré. Y sobre todo quiero trabajar para soltar ese miedo y la rabia que tengo.

A— Has dado un gran paso para avanzar en el proceso de perdón. Ahora que entiendes y estás dispuesto a soltar, vas a perdonar de verdad.

* * *

No hay forma de cambiar los hechos, sin embargo sí podemos cambiar la interpretación que hacemos de ellos. Recordar nuestro pasado y evaluar las interpretaciones que hicimos de los diferentes hechos que vivimos es uno de los pasos para perdonar, y al perdonar nos liberamos. Siempre podemos reinterpretar los hechos, si así lo queremos.

Alguien nos preguntaba durante un seminario si esta no era una forma de engañarnos. Definitivamente no se trata de un engaño. No estamos negando lo que pasó, sólo estamos buscando entender y de esta forma encontrar el aprendizaje. Ahora bien, como el subconsciente cree todo lo que le decimos, es cuestión de decidir qué queremos creer. ¿Prefieres creer que no vales, que no te quieren, que no te lo mereces porque tus padres te abandonaron, o te golpeaban, o alguien abuso de ti mental, emocional o físicamente? O te funciona mejor entender que cada persona hace lo mejor con lo que sabe y da lo que tiene. Esto no tiene ninguna relación con tu valor inherente. Tú decides.

Algunas personas preguntan: ¿Es posible que en un fin de semana cambies? La respuesta es sí. Sólo que para que los cambios continúen y se mantengan necesitas seguir trabajando en ti diariamente. Los cambios no se hacen mágicamente, toman tiempo y esfuerzo, y en algunos casos, dinero. En ocasiones necesitamos ayuda para reinterpretar los hechos.

Somos seres espirituales teniendo una experiencia física y tenemos una mente. ¿Por qué entonces dedicas más tiempo a la parte física que a la espiritual y emocional? Todos los días te bañas y comes. ¿Qué sucede si dejas de bañarte? ¡Adivinaste! Lo mismo pasa con tu área emocional si no la cuidas y trabajas en ella día a día.

La mente es como un jardín, necesita cuidado constante para mantenerse hermoso. Si lo descuidas, tan sólo por unos días, la hierba mala invadirá todo a su alrededor.

Maraña:
Dios te va a castigar

Cambio:
Dios te ama

Nacemos con la culpa pegada a nuestras entrañas, crecemos con culpa y aprendemos fácilmente a culpar a los demás por todo lo que nos sucede.

La carga de la culpabilidad es enorme, desde las ideas del pecado original que se han trasmitido por generaciones sin cuestionamientos. Aprendemos a sentirnos culpables por temor al castigo: si cometemos pecados iremos directo al infierno donde nos "achicharraremos" por las faltas cometidas. Eso nos dijeron.

Desde niños se nos enseña que si hacemos algo indebido o incorrecto, —según la apreciación de los adultos—, "Dios se va a enojar con nosotros y nos va a castigar". Cuando entendemos que Dios, Energía Superior, el Universo, Mahoma, Jehová, Buda, o como le quieras llamar, nutre nuestro espíritu para conectar el alma hacia esa fuente superior, que es una fuente de creación y amor, que no tiene un ojo inquisidor para ver las acciones de cada persona porque para eso nos dotó de conciencia, entonces dejamos de temerle y empezamos a amarle y respetarle. La única emoción verdadera que deberíamos experimentar es *amor*.

Todo lo contrario al *amor* es el *miedo*. De ahí se deriva todo lo demás. A través del miedo se mantiene el control, es por el miedo que se logra la manipulación de una persona y de las masas. Por miedo y temor al castigo se deja de vivir con intensidad. Tememos a esas cadenas de culpa que se transmiten de generación en generación.

Cuando vemos a Dios como una fuente amorosa que espera despertarnos a la realidad de Su amor para que podamos regresar a casa, entonces nos liberamos y podemos ser felices. Nos liberamos para poder amar a Dios, amarnos a nosotros mismos y amar a nuestros hermanos. Dejamos de juzgar pues entendemos que Dios no juzga.

Aprendemos a perdonar al comprender que nosotros mismos necesitamos el perdón cuando creemos que alguien nos ha lastimado o que hemos lastimado a alguien. Comprendemos también que Dios perdona porque no juzga. Somos hechos a imagen y semejanza del Creador, o sea que somos perfectos. Somos seres espirituales. Nuestro espíritu es perfecto porque es la creación divina, puedes llamarlo con un nombre diferente, sin embargo en todas las civilizaciones se habla de una energía superior, una fuente creativa que nos permite agradecer.

Algunos deciden creer en Dios para agradecer todo cuanto reciben, de lo contrario no tendrían a quién agradecer. No es necesario ser religioso para tener fe. Se puede ser religioso sin ser espiritual y ser espiritual sin tener religión.

Dios es sólo amor, quiere que seamos felices, no pide nada de nosotros ni espera nada excepto que lo amemos para que así nos podamos amar. Dios te ama. Dios no pide sacrificios, ni sufrimiento, ni dolor de tu parte. No está esperando que te equivoques para castigarte. Sólo quiere que despertemos de este sueño de locura y entendamos qué es amor. Y el perdón es el medio por el cual podemos entender y experimentar Su amor.

¿Cómo puedes decir que amas a Dios mientras criticas, juzgas, culpas, envidias, odias a tu hermano? ¿Cómo puedes predicar el amor a Dios mientras practicas el odio y el resentimiento hacia ti mismo y hacia los demás? ¿Cómo hablas de tener fe en Dios y no confías en ti? ¿Es posible amar a Dios y odiar a tu hermano? ¿Cómo puedes decir que amas a Dios mientras discriminas a sus hijos por el color de la piel, religión, filiación política, ideas, preferencia sexual, etc.? ¿Te crees superior a tu hermano olvidando que ambos son creación de Dios? ¿O piensas que eres menos que otros, ignorando así tu divinidad? Crees que aceptar tu grandeza es prepotencia, y desperdicias tus talentos y luego culpas a Dios de tus resultados.

Llegó la hora de aceptar tu grandeza, pues viene de Dios. Es tiempo de brillar y permitirle a Dios que te use. Es el momento de ser feliz y amar como Dios nos ama. Perdona, sé feliz, ama incondicionalmente. Siente el amor de Dios y agradece. Acéptate y acepta a tu hermano. Somos uno solo con el Creador. Caminemos juntos de regreso a casa, de regreso a nuestro Creador.

Maraña:
Mañana empiezo

Cambio:
¡Empiezo ya mismo!

Imagina un reloj de arena. Si la arena representa tu vida, entonces la arena que está abajo es tu pasado y la que está arriba es tu futuro. Ahora, si observas, te darás cuenta que en la mitad la arena se mueve constantemente. La que está arriba va bajando sin detenerse. Así es nuestra vida.

Un gran número de personas mantiene su atención en lo que está abajo, en el pasado. Constantemente se lamentan de lo que pudieron o debieron haber hecho. Estas personas reviven una y otra vez lo que sucedió y vuelven a sentir el dolor, el miedo, la rabia. Mientras tanto, otros están concentrados en la arena de arriba, en el futuro. Siempre preocupados por lo que puede suceder, con la incertidumbre del mañana. Y mientras tanto la arena se sigue moviendo, la vida sigue avanzando y ellos ni se dan cuenta.

¿Sabes cuánta arena queda en la parte superior de tu reloj? ¿Sabes cuánto tiempo de vida te queda? La realidad es que no sabemos. Algunos piensan que tienen mucho y en verdad tienen muy poquito, y por el contrario, otros viven convencidos de que queda poca arena en su reloj y viven muchos años.

El padre de Clara falleció repentinamente. Tenía sólo 52 años. "Le detectaron un aneurisma que le estalló y ahí terminó su vida. Lo interesante es que nosotros pensábamos que a él le quedaba bastante arena en su reloj. Mi abuelo murió cuando tenía más de 80 años, entonces nosotros creímos que mi padre también iba a vivir así. La realidad es que su vida fue más corta de lo que imaginamos. Lo mismo sucedió con mi suegra, que murió a los 48 años de un ataque cardíaco.

Recuerdo que mi padre disfrutaba cada día con intensidad, no se preocupaba por el mañana y siempre estaba dispuesto a ayudar a un amigo, a servir. Y sonreía con frecuencia. Cuando hablaba del pasado, siempre lo hacía en forma agradable, aprovechando el aprendizaje en cada experiencia. No sabía cuánta arena le quedaba y vivía como si sólo le quedara un granito de aliento".

Dice Clara que "desde hace años ha escuchado a un conocido decir que ya se va a morir, que sus días están contados. La verdad es que lleva años diciendo lo mismo. Él cree que le queda poquita arena en su reloj y en verdad parece que hay bastante".

¿Cómo vives tus días? ¿Como si tuvieras mucha o poquita arena en tu reloj? ¿Dejas todo para mañana? ¿Por qué vives como si tuvieras una eternidad? ¿Por qué vives convencido de que hay un mañana? Mañana voy a empezar a estudiar, mañana voy a decirle a esta persona que la quiero, mañana voy a hacer las paces con mi amigo, mi hermano, mi papá y mi mamá, mañana abrazo a mis hijos, mañana les digo que los amo.

¿Quién te dijo que tienes algo que no sea ahora, *este* momento? ¿Quién te asegura que vas a tener un mañana? Y sin embargo quieres seguir viviendo la vida mañana: mañana voy a cambiar de trabajo, mañana voy a dejar de hacer eso, mañana voy a dejar de fumar, mañana voy a dejar de tomar alcohol, mañana voy a divertirme con mis hijos, mañana.

Le voy a dedicar tiempo a mi familia, mañana; empiezo la dieta, mañana; me empiezo a cuidar, mañana; voy a ir al médico, mañana, mañana, mañana.

Mañana me voy a empezar a querer a mí mismo.

La realidad es que mañana no existe. Sólo existe ¡ahora! Este momento, esto es lo único que tienes ¡ahora! Lo cierto es que no sabes cuánta arena hay en la parte superior de tu reloj. Y la arena que ya cayó no hay manera de volver a colocarla arriba. El pasado se fue. Aprendemos de él, sin embargo no podemos cambiarlo.

¿Cuándo vas a empezar a vivir con intensidad?

¿Cuándo vas a ver las cosas de forma diferente?

¿Cuándo vas a reinterpretar tu pasado para vivir un presente distinto?

¡Ahora es el momento de abrazar a la pareja!

¡Ahora es tiempo de decirle que la quieres!

¡Ahora es el momento de decirles a tus hijos que los quieres!

¡Ahora es el momento de amarlos y decirles lo importante que son en tu vida!

¡Ahora es el momento de ayudar a tu amigo!

Mañana es posible que no te necesiten porque quizá ya no estarás. Este es el momento de concentrarte en la parte media de tu reloj de arena. La arena que se sigue moviendo sin parar, el hoy, el momento. Porque aun cuando te concentres en el ayer o en el mañana, el presente sigue pasando.

¡Ahora es el momento de empezar a estudiar!

¡Ahora es el momento de cumplir tus sueños!

¡Ahora es el momento de agradecer!

¡Ahora es el momento de hacer algo por tu vida!

¡Ahora es el momento de tomar decisiones!

¡Ahora es el momento de cambiar!

¡Ahora es el momento de vivir!

Nunca es tarde para empezar porque mañana, no existe. Nadie nos garantiza un mañana, nadie nos garantiza que esas personas van a estar con nosotros mañana.

¿Quién te garantiza que tus hijos van a estar contigo mañana?

¿Quién te garantiza que tu amigo te va a necesitar mañana?

¿Quién te asegura que vas a tener salud mañana?

Ahora es lo único que tienes.

¿Qué tal si empiezas a vivir la vida hoy, ahora, este mismo instante?

¿Qué tal si decides cambiar tu vida ahora, en este momento?

¿Qué tal si empiezas a arriesgarte ahora?

¿Qué tal si empiezas a equivocarte ahora?

¿Qué tal si empiezas a aprender ahora?

¿Qué tal si recuerdas que el ahora es lo único que tienes?

¡Hoy vive a plenitud!

¡Hoy vive en excelencia!

¡Hoy da el máximo!

¡Hoy sé feliz!

¡Hoy perdona!

¡Hoy suelta!

¡Hoy ama!

¡Hoy sé luz!

¡Hoy brilla!

¡Hoy ilumina el camino de los demás!

¡Hoy haz algo diferente!

¡Hoy desarrolla tu potencial!

¡Hoy da gracias porque estás vivo en este momento!

Mañana... déjaselo a Dios... porque hoy es el primer día del último día de tu vida.